TENDANCES DU CINÉMA CONTEMPORAIN

TENDANCES DU CINÉMA CONTEMPORAIN

H-Paul Chevrier

CINÉMA
Les 400 coups

Les Éditions Les 400 coups remercient le Conseil
des Arts du Canada du soutien qui leur est accordé
dans le cadre du programme des subventions globales
aux éditeurs, et la SODEC pour son appui financier
en vertu du programme d'aide aux entreprises
du livre et de l'édition spécialisée.

La collection *Cinéma* est dirigée par Marcel Jean
Conception graphique : Mardigrafe inc.
Mise en pages : Mardigrafe inc.
Correction : Micheline Dussault

Diffusion au Canada :
Diffusion Dimedia inc.
539, boul. Lebeau
Saint-Laurent (Québec) H4N 1S2
Téléphone : (514) 336-3941
Télécopieur : (514) 331-3916

Dépôt légal 4ᵉ trimestre 1998
Bibliothèque nationale du Québec
Bibliothèque nationale du Canada

ISBN 2-921620-92-8

PRÉAMBULE

AVANT TOUTE CHOSE, précisons qu'il ne s'agit pas, dans ce livre, d'élaborer une histoire du cinéma depuis 1960. D'abord parce que je ne suis pas historien. Ensuite parce que je laisserai de côté le cinéma documentaire et le cinéma expérimental pour me préoccuper uniquement du cinéma de fiction. Et encore là, je délaisserai tout le cinéma classique (auquel j'ai déjà consacré *Le Langage du cinéma narratif* en 1995) pour m'intéresser seulement aux cinéastes et aux films qui, en plus de raconter des histoires, ont su enrichir ou renouveler le langage du cinéma.

Mon projet vise à tracer quelques tendances esthétiques majeures du cinéma contemporain. Je regrouperai certains films de certains cinéastes pour dégager des constantes particulières dans le langage ou les intentions. Bien sûr, le projet s'avère en quelque sorte arbitraire et plus risqué qu'une simple « liste d'épicerie » (les noms, les titres, les dates)... mais c'est dans un souci pédagogique que j'ose dresser un tableau du cinéma contemporain, quitte à ce que chaque lecteur le réaménage selon son expérience.

Chaque tendance sera expliquée à travers les films les plus significatifs, puis illustrée par la démarche particulière de certains cinéastes. Je suis à la merci de ma mémoire et surtout de la mauvaise distribution des films autres que hollywoodiens. J'oublierai volontairement quelques cinéastes importants, pour dévier le moins possible de la trajectoire fixée. Et je reviendrai à certains cinéastes dans d'autres chapitres, quand leur cinéma évoluera de façon à traverser plusieurs tendances.

Professeur dans un collège, je n'écris pas pour épater mes collègues mais pour être compris par mes étudiants (à qui je dédie ce livre). D'ailleurs tous les cinéphiles y trouveront leur compte dans la mesure où ils admettront les limites d'un tel découpage du cinéma. Ma démarche sera d'autant plus claire que le lecteur aura vu les films dont il sera question, sinon j'espère donner envie de voir ou de revoir (peut-être autrement) les films les plus représentatifs de chacune des tendances.

Je situerai le cinéma moderne (et postmoderne) dans le prolongement de l'expressionnisme allemand, de l'avant-garde surréaliste, du réalisme poétique français… qui tendaient tous vers la subjectivité, vers une vision particulière des choses. Je départagerai le cinéma réaliste (et les cinémas nationaux) dans le prolongement du réalisme épique soviétique, du documentarisme britannique, du néoréalisme italien… qui tendaient tous vers une certaine objectivité, vers la reconstitution de la réalité.

Je commencerai par expliquer l'esthétique et les intentions du cinéma **moderne** des années 1960. Je dégagerai trois tendances : le cinéma *intériorisé* ou subjectif, entre autres avec Resnais et Bergman, le cinéma *dédramatisé* ou contemplatif, surtout avec Antonioni et Jancso, le cinéma *abstrait* ou conceptuel, avec Godard et Bunuel. Et j'envisagerai un autre mouvement important, celui des cinémas **nationaux.**

J'explorerai l'esthétique et les engagements du cinéma **social** issu de Mai 68. Je dégagerai trois tendances : le cinéma *sociologique* ou le réalisme critique, entre autres avec Loach et Tavernier, le cinéma *politique* (récupéré ou non), surtout avec Costa-Gavras et Rosi, le cinéma *distancié* ou le réalisme analytique, avec Tanner et Arcand. Comme ils participent pleinement aux années 1970, je survolerai encore les cinémas **nationaux.**

Et j'aborderai enfin le cinéma **postmoderne** des années 1980. Je dégagerai trois tendances : le cinéma *minimaliste* ou l'errance existentielle, entre autres avec Jarmusch et Wenders, le cinéma *maniériste* ou le recyclage de la tradition avec Carax, von Trier… et la médiatisation avec Egoyan, puis le cinéma *relativiste* ou le récit hypothétique, avec Kiarostami et Kieslowski. Et encore une fois, j'envisagerai les cinémas **nationaux.**

H-Paul Chevrier
août 1998

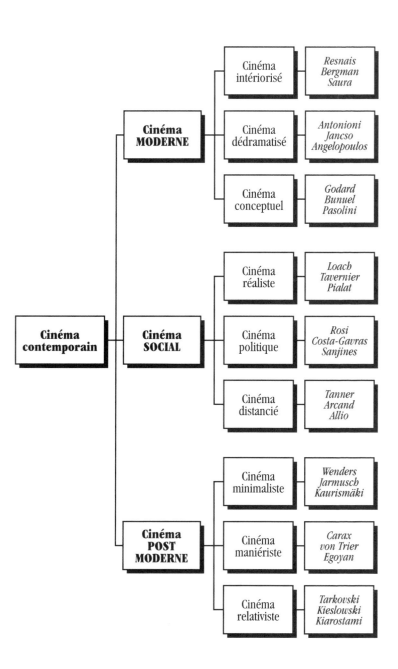

			Cinéma intériorisé	Resnais Bergman Saura
		Cinéma **MODERNE**	Cinéma dédramatisé	Antonioni Jancso Angelopoulos
			Cinéma conceptuel	Godard Bunuel Pasolini
Cinéma contemporain			Cinéma réaliste	Loach Tavernier Pialat
		Cinéma **SOCIAL**	Cinéma politique	Rosi Costa-Gavras Sanjines
			Cinéma distancié	Tanner Arcand Allio
			Cinéma minimaliste	Wenders Jarmusch Kaurismäki
		Cinéma **POST MODERNE**	Cinéma maniériste	Carax von Trier Egoyan
			Cinéma relativiste	Tarkovski Kieslowski Kiarostami

LES ANNÉES 1960
ET LE CINÉMA MODERNE

CHAPITRE 1

LES ANNÉES 1960 :
DE LA NOUVELLE VAGUE
AU CINÉMA MODERNE

A PRÈS la Seconde Guerre mondiale, l'historien du cinéma Georges Sadoul, le fondateur de la Cinémathèque française Henri Langlois et le critique André Bazin contribuent à ce que le cinéma soit pris au sérieux. Les ciné-clubs se vouent à la formation du public en même temps que surgissent des revues spécialisées en cinéma : *Image et Son* ainsi que *Téléciné* en 1946, les *Cahiers du cinéma* en 1951, *Positif* en 1952, *Cinéma* en 1954. C'est d'ailleurs dans les *Cahiers du cinéma* de janvier 1954 que François Truffaut publie « Une certaine tendance du cinéma français », texte qui met en place la politique des auteurs et servira de manifeste à la Nouvelle Vague.

Truffaut reproche au cinéma français d'après-guerre son manque d'audace stylistique et s'acharne contre le réalisme psychologique d'Autant-Lara, Clément et Clouzot pour mieux faire l'éloge du cinéma d'auteur, celui de Renoir, Becker et Bresson. Il accuse plus particulièrement les scénaristes

Aurenche et Bost de contaminer le cinéma français par leurs tendances antibourgeoises, anticléricales et antimilitaristes. Truffaut ne leur pardonne pas de critiquer l'establishment et propose de libérer le cinéma de toutes préoccupations sociales ou politiques. Il fonde la vérité sur le style des films, et plaide pour l'autonomie de l'art.

Les *Cahiers du cinéma* vont développer la politique des auteurs. En plus de faire admettre qu'un cinéaste peut être un auteur au même titre qu'un écrivain ou un peintre, ils vont revendiquer que seul le cinéaste, malgré tous ses collaborateurs, peut réclamer le statut d'auteur. Dans leur liste des grands cinéastes, il est secondaire que certains en fassent partie malgré quelques ratages et que d'autres en soient exclus malgré quelques bons films. L'essentiel est de passer de la critique des films à la critique des auteurs pour fournir une vision plus globale… ce qui par ailleurs donnera un peu plus de crédibilité à la critique de cinéma.

Cette politique des auteurs proposait aussi (on l'oublie souvent) une conception du monde. André Bazin a créé les *Cahiers du cinéma* en défendant l'idée d'un cinéma hors du temps, capable d'exprimer la dimension spirituelle des personnages. Ses disciples feront la promotion d'un cinéma surtout préoccupé par les valeurs morales, et contrairement aux écrivains engagés de l'époque (Camus, Sartre, Malraux), ils valoriseront l'art pour l'art, ou du moins le cinéma de la grandeur humaine, pour déboucher sur une apologie de l'individualisme.

Un auteur se reconnaît par son style, par sa façon d'isoler un personnage, de lui reconnaître une destinée particulière. Les cinéastes privilégiés par les *Cahiers du cinéma* savent montrer de façon vraisemblable les comportements les plus significatifs pour exprimer les tourments d'un héros conscient de sa solitude morale. Leurs films racontent toujours l'histoire d'un individu en lutte contre la société et qui connaîtra sa rédemption en dehors de celle-ci. Ce désengagement politique se vérifiera dans les films que réaliseront les collaborateurs de la revue. À partir de 1957, les critiques en question passent à la réalisation. En 1959, Chabrol réalise *Le Beau Serge* et *Les Cousins,* Truffaut réalise *Les Quatre Cents Coups* et Godard *À bout de souffle.* Ajoutons que cette année-là Jean Rouch réalise *Moi, un Noir* et Alain Resnais *Hiroshima mon amour* pour comprendre que commence une période d'euphorie créatrice où tout semble permis. Entre 1958 et 1963, la loi d'aide du Centre national du cinéma a donné l'occasion à plus de 200 débutants de réaliser leur premier long métrage, sans passer par la traditionnelle période d'assistanat. Il s'agit d'une révolution : 35 nouveaux réalisateurs par année, avec une moyenne d'âge de moins de 30 ans.

En 1959, c'est l'instauration de la Vᵉ République avec De Gaulle et l'arrivée d'une génération insouciante *(Salut les copains, Hara-kiri, Pilote).* Depuis 10 ans, le pouvoir d'achat a augmenté de 50 % et au milieu des Trente glorieuses (1945-1975), il devient possible pour n'importe qui de faire un premier film. Les producteurs réduisent les risques financiers en misant sur plusieurs films à petits budgets qu'ils pourront par ailleurs vendre à la télévision ou à l'étranger. Les cinéastes tournent en 16 mm, en noir et blanc, avec un minimum d'éclairage, le plus souvent sans son direct. Ils tournent en extérieur, avec des amis et à toute vitesse, quitte à improviser.

Le modèle s'avère *À bout de souffle,* que Godard tourne avec le tiers du budget habituel et en trois semaines au lieu de dix. Pour sauver du temps, Raoul Coutard porte la caméra à l'épaule, tourne en plan-séquence (sans champs-contrechamps) et suit les personnages sans se préoccuper d'un quelconque découpage. Pour pouvoir se dispenser d'éclairage, Godard prend de la pellicule photographique (Ilford HPS) dont il double la sensibilité et qu'il colle bout à bout, par bandes de 17 mètres. Le film étant trop long, Godard conserve toutes les scènes mais coupe des plans ici et là, puis remplace les transitions ou les fondus par des coupures franches. Ce montage heurté et ce refus des raccords en arrivent à exprimer la nervosité ou le désordre des personnages. En même temps, cette syntaxe riche en travellings, zooms et images figées fait sentir la présence de la caméra, donc du cinéaste. Le tournage à petit budget et la désinvolture de Belmondo engendreront ainsi une esthétique de la spontanéité.

Les cinéastes de la Nouvelle Vague négligent par contre les réalités du travail et celles de la politique, ignorent la guerre d'Indochine et seul *Le Petit Soldat* (Jean-Luc Godard, 1960) parle de la guerre d'Algérie (pourtant 2 700 000 conscrits en 8 ans). Sous prétexte de faire un cinéma juste (ou juste du cinéma), ils ne s'intéressent qu'à ce qu'ils connaissent, les petits-bourgeois qui traînent leur superficialité entre Saint-Germain-des-Prés et Saint-Tropez. Proposant un univers confortable qu'ils acceptent tel quel, ils cultivent le spleen existentiel et les variations du marivaudage.

La Nouvelle Vague témoigne de la société de consommation et des loisirs, aussi de cette libération des mœurs du début des années 1960. Une génération romantique fera un cinéma qui lui ressemble, dans la mesure où les films nous en apprennent moins sur la société de l'époque que sur les cinéastes eux-mêmes. En effet, ceux-ci multiplient les citations des livres qu'ils aiment, les références aux films qu'ils adorent, les commentaires sur la vie, pour finalement élaborer des journaux intimes.

Un film de la Nouvelle Vague se reconnaît par son style, c'est-à-dire par sa façon d'ignorer la grammaire du cinéma classique. Issus de la critique, la plupart des cinéastes n'ont aucune connaissance de la technique. Au nom du naturel, ils se moquent des conventions et pratiquent toutes les fantaisies, particulièrement l'improvisation. Claude Chabrol soutenait que « tout ce qu'il faut savoir de la mise en scène s'apprend en quatre heures ». Il est d'ailleurs le premier à porter systématiquement la caméra à l'épaule et à éliminer les champs-contrechamps.

Godard va plus loin en tournant sans aucun découpage, en cultivant les faux raccords et les digressions, les cartons et les commentaires. Les cinéastes de la Nouvelle Vague font leurs films comme ils en ont envie, chacun selon sa personnalité et selon son style. Comme « chaque film vaut ce que valent les personnes », ne survivront que les cinéastes qui ont du talent. Dans cette révolution esthétique, seul Godard saura inscrire sa pratique dans une réflexion plus large sur la fonction sociale du cinéma.

Déclenchée par *Les Quatre Cents Coups* (Truffaut, 1959), témoignage sur l'enfance en mal d'affection de facture plutôt classique, la Nouvelle Vague se reconnaît surtout dans des films comme *Le Bel Âge* (Pierre Kast, 1960), *L'Eau à la bouche* (Jacques Doniol-Valcroze, 1960) ou *Adieu Philippine* (Jacques Rozier, 1963), des histoires de séduction dont l'anticonformisme et les provocations restent superficielles. D'ailleurs, le plus gros succès commercial de la Nouvelle Vague, *Les Parapluies de Cherbourg* (Jacques Demy, 1964), a l'originalité de faire chanter tous les dialogues d'un mélodrame finalement simpliste.

Truffaut, Chabrol et Malle deviendront par la suite les cinéastes les plus représentatifs du réalisme psychologique. Ils ne seront dépassés dans l'académisme que par Sautet, Granier-Deferre et Lelouch. Proches de l'exercice d'apprentissage, les films des autres cinéastes ne résisteront pas au temps et cette tendance vaudra surtout par son héritage, celui d'une leçon de liberté pour les cinémas du monde entier. La Nouvelle Vague se termine avec le film *Paris vu par...* (1965) dans lequel Rohmer, Chabrol, Godard et d'autres fournissent chacun leur sketch sur le libertinage amoureux.

En 1966, Claude Lelouch va récupérer tous les artifices de la Nouvelle Vague dans *Un homme et une femme*. Il raconte les amours d'un coureur automobile et d'une scripte de cinéma, noyant son photo-roman dans une musique omniprésente, avec *jingle* publicitaire (chabadabada). Il donne l'illusion du reportage par la caméra portée, les dialogues insignifiants ou inaudibles, le soleil dans l'objectif, puis multiplie les effets tape-à-l'œil : zooms, plongées, ralentis, filtres, mouvements circulaires, etc. Ce qu'on raconte est moins important que le plaisir de filmer.

La Nouvelle Vague trouve aussi un prolongement à travers ce qu'on appelle le groupe Rive gauche, constitué autour d'Alain Resnais, avec Jean Cayrol, Armand Gatti et Chris Marker, qui avaient tous réalisé des films sur l'art ou des documentaires engagés comme *Nuit et Brouillard, Lettre de Sibérie, Loin du Viêt-nam*. Il y aura aussi Agnès Varda, Henri Colpi, Alain Robbe-Grillet et plus tard Marguerite Duras.

Si les critiques des *Cahiers du cinéma* étaient des cinéphiles qui voulaient faire du cinéma, les écrivains des éditions du Seuil et des éditions de Minuit sont des intellectuels qui se sont donné une mission esthétique. Soutenus par la revue *Positif,* les cinéastes de la Rive gauche ne veulent rien de moins que renouveler le langage cinématographique. Ils veulent libérer le cinéma du carcan de la représentation pour permettre au cinéaste de s'exprimer aussi librement que l'écrivain.

Ils ont déjà fait des films, ils ont une certaine connaissance du cinéma et ne se laissent pas paralyser par la technique. Ils se préoccupent surtout de la composition visuelle, de la durée par le plan-séquence, des possibilités expressives de la voix off. Ils sont convaincus que l'image peut servir à autre chose que simplement montrer le réel, qu'on doit la vider de son réalisme pour l'utiliser autrement, pour dire des choses à travers elle.

Ces écrivains-cinéastes ne se contentent pas de transposer des romans qu'ils auraient réduits à leur intrigue. Robert Bresson leur a appris que l'adaptation consiste moins à illustrer des péripéties qu'à trouver une tonalité, qu'elle consiste moins à traduire la thématique qu'à retrouver la liberté de l'écriture. En effet, Bresson endosse la théorie de la caméra-stylo qui donne au cinéma les mêmes possibilités expressives qu'à la littérature.

Dans *Un condamné à mort s'est échappé* (1956), il refusait déjà l'analyse psychologique et dépouillait les événements pour se préoccuper des gestes les plus répétitifs, comme creuser une porte avec une cuillère. Il multiplie les gros plans, les angles insolites et les cadrages coupés pour briser toute logique spatio-temporelle. Il diminue la profondeur de champ et supprime la perspective pour réduire l'espace à deux dimensions et accentuer ainsi le caractère pictural de ce qu'il filme. Il fragmente tout et reconstruit un espace indéterminé, monté morceau par morceau.

La cellule du condamné à mort n'est jamais visualisée dans un plan d'ensemble, mais seulement découpée, appréhendée, décadrée, parce que Bresson vise moins la représentation que la création d'une écriture. Il ne montre de la prison que ce que peut en voir le personnage et souligne la perspective narrative par la parole *off*. Il élabore progressivement un espace intérieur, comme dans un roman. Il laisse surgir des fragments du monologue de son personnage, enracinant l'image dans une durée intérieure, une durée qui constitue le champ d'une méditation.

Pickpocket (1959) s'apparente à *Hiroshima mon amour* de Resnais (aussi 1959) et *L'avventura* d'Antonioni (1960) : il n'y a aucune explication psychologique, les gestes relèvent du rituel et les dialogues de l'incantation, le rythme reste imposé par le regard du cinéaste. Bresson y pousse la dédramatisation à l'extrême. Il dépouille les décors, simplifie les situations et exige de ses comédiens un jeu neutre, les réduisant le plus souvent au silence ou à parler d'une voix *recto tono*.

Bresson s'attache aux gestes, aux silences et aux regards les plus simples, pour suggérer un rythme particulier, pour organiser un découpage où les plans se suffisent à eux-mêmes. Cette économie de moyens finit par donner de l'importance aux moindres détails. La stylisation de l'espace et la raréfaction des dialogues favorisent l'intériorité. Confinant le réalisme à la seule bande sonore, Bresson déplace l'intérêt de l'espace à la durée, seule capable de traduire le mouvement d'une aventure intérieure. D'un film à l'autre, il expérimente une écriture elliptique qui trouvera son achèvement dans *L'Argent* (1983), son dernier film.

Les cinéastes de la Rive gauche admettent que c'est par son point de vue ou son regard qu'un cinéaste sera aussi personnel qu'un romancier. En délaissant occasionnellement l'anecdote pour fournir ses commentaires, le cinéaste exprimera à son tour le temps propre à la création elle-même. Pour s'exprimer, il devra donc briser la transparence de la mise en scène. Celle-ci ne sera plus seulement au service de l'intrigue mais deviendra signifiante par elle-même. Pour accompagner leur récit d'une méditation, les cinéastes ont compris qu'ils devraient surtout manipuler le temps.

Dans l'ombre du nouveau roman, leurs films se préoccupent de la mémoire et ont la hantise du temps : un amour passé qui encombre le présent dans *Hiroshima mon amour* (Resnais, 1959), le retour d'un porté disparu devenu amnésique dans *Une aussi longue absence* (Henri Colpi, 1960), les mécanismes de l'inconscient dans un film présenté lui-même comme incertain, *L'Année dernière à Marienbad* (Resnais, 1961).

Presque toujours professeurs, actrices, écrivains ou chanteuses, les personnages passent plus de temps à s'analyser qu'à vivre. Ils sont peu sûrs d'eux et incertains de leurs sentiments, encombrés par leur passé et incapables de prendre des décisions. Ils déambulent dans des villes étrangères, désertes, bombardées ou en reconstruction. Isolés dans leur réflexion métaphysique, ces intellectuels se regardent vivre, essaient de se réconcilier avec eux-mêmes et se perdent dans leur recherche.

Le jeu minimal des acteurs et leur intonation proche de l'incantation empêchent toute identification de la part du spectateur. Emmanuelle Riva dans *Hiroshima mon amour* et Delphine Seyrig dans *L'Année dernière à Marienbad* servent de modèles pour ce jeu théâtral, décalé par rapport au réalisme habituel. Les comédiens ont moins à incarner un personnage qu'à se mettre au service d'un texte. En retrait de leur personnage, ils élaborent une voix au-dessus du film, une voix qui s'affiche comme parole subjective, celle d'un personnage ou d'un narrateur.

La convergence entre les films de ces cinéastes français et ceux de Bergman, Antonioni ou Bunuel constitue au début des

années 1960 un mouvement très important, en rupture complète avec le cinéma classique. Ce renouvellement en profondeur du langage cinématographique correspond à une nouvelle
perception du monde. Le cinéma ose enfin rompre avec sa
propre tradition et devient *moderne*, d'abord parce qu'il reconnaît et explore *l'absence de signification* de la réalité.

Bien sûr, le modernisme esthétique commence à la fin du
XIXᵉ siècle, mais le cinéma a une histoire décalée par rapport
aux autres arts et consacre ses débuts à se créer un langage. Il
deviendra le refuge du classicisme, avec ses histoires claires et
bien structurées ainsi que ses personnages cohérents et vraisemblables. Il utilise toutes ses ressources (contrechamp, ellipse,
raccord) pour exprimer telle ou telle signification, pour interpréter l'univers représenté. Il donne priorité à ce qu'il raconte,
plaçant la mise en scène entièrement au service de l'histoire.

Au contraire, le cinéma moderne reproduit l'absence de
sens. Il en reste au langage minimal (caméra frontale, plan-
séquence et voix off) pour ne pas créer de signification sup-
plémentaire. La mise en scène s'en tient à la seule perception
d'un univers dépourvu de sens. Nous nous retrouvons dans
un monde ouvert sur l'errance et le vide existentiel. Les
films évitent les motivations psychologiques ou les antécédents
sociologiques des personnages et ne fournissent que des
variations sur l'angoisse, l'incommunicabilité, le mensonge ou
l'impuissance.

La seconde caractéristique du cinéma moderne, c'est d'être
conscient de lui-même. Une foule de procédés stylistiques signalent la présence du cinéaste et présentent les images justement
comme des images. Dans *Sonate d'automne* (Ingmar Bergman,
1978), la main qui saisit celle d'Ingrid Bergman, endormie, se
révèle l'intrusion d'un fantasme dans une scène qu'on croyait

réelle. Le cinéaste souligne ainsi le caractère artificiel du monde imaginaire dans lequel il nous a plongés.

La mise en scène s'affiche aussi comme telle en s'écartant du réalisme. L'aspect théâtral du jeu des comédiens et le caractère incantatoire des dialogues dans *L'Année dernière à Marienbad* (Resnais, 1961), la géométrie de l'espace et la stylisation des couleurs dans *Le Désert rouge* (Antonioni, 1964) ou encore les commentaires des comédiens sur leur personnage dans *Une passion* (Bergman, 1969) signalent clairement le caractère de représentation du film. Ce refus de la transparence exige du spectateur une démarche réflexive, celle de se confronter à un regard, à une pensée.

Tandis que le cinéma classique laisse croire qu'il n'y a pas d'instance narrative, donc que l'histoire se raconte par elle-même, le cinéma moderne propose au contraire une mise en scène qui se veut évidente et qui affiche justement sa narration. Cette mise en relief de la fonction narrative, assumée par un personnage ou par l'auteur, s'exerce souvent par la voix off. Celle-ci se permet plusieurs fonctions dans le même film : tantôt elle commente les événements, tantôt elle fait fonction de monologue intérieur, tantôt elle se veut texte littéraire par-dessus le film, surplombant le récit pour témoigner d'une narration qui s'exerce librement.

Ne se contentant plus de raconter des histoires, le cinéma moderne pratique un certain détachement, il présente la fiction comme étant de la fiction et en arrive même à interroger ses propres mécanismes. Entre autres, *Huit et demi* (Federico Fellini, 1963), *Le Mépris* (Jean-Luc Godard, 1963) et *Persona* (Ingmar Bergman, 1966) ont pour sujet la production du film lui-même, sinon la conception de la création artistique selon l'auteur. Le cinéma en est rendu à réfléchir sur lui-même.

Autre caractéristique du cinéma moderne, le film est toujours *ouvert à plusieurs interprétations*. Une histoire simple au déroulement logique et aux conclusions claires ne peut plus rendre compte d'une réalité devenue très complexe. Parce que tout est relatif, le film moderne cultive les interrogations, les ambiguïtés et les contradictions. En effet, il n'y a pas de vérité objective et il y a autant d'intrigues qu'il y a de personnages. Toutes les interprétations sont donc possibles et souvent valables. Il ne s'agit plus pour le spectateur de vérifier la valeur d'un film mais plutôt d'établir le point de vue que celui-ci adopte, et de départager qui parle.

Le cinéma a perdu son innocence : il s'est mis à réfléchir, pour le meilleur ou le pire. Il a commencé par accompagner son récit d'une certaine méditation, pour ensuite passer à la simple histoire de cette méditation, et dans certains cas, en arriver à effacer le récit au profit de la seule réflexion. Les cinéastes diluent progressivement l'action, détruisent toute ligne dramatique et refusent de réduire l'image à ce qu'elle montre. Ils présentent les choses comme déjà vécues, donc subjectivées, perçues par les personnages qui d'ailleurs semblent réfléchir aux choses en train de se dérouler.

Parmi les démarches esthétiques les plus pertinentes, nous dégagerons d'abord le cinéma *intériorisé,* particulièrement chez Resnais et Bergman, un cinéma qui décrit le déroulement d'une conscience subjective. L'intériorisation consiste à traduire l'activité mentale avec ses doutes, ses retours en arrière et ses hésitations. Il s'agit d'un cinéma du montage, discontinu et assez complexe pour exprimer les zigzags de la mémoire, les méandres de l'inconscient ou les dérives de l'imaginaire.

Ensuite nous verrons le cinéma *dédramatisé,* particulièrement chez Antonioni, un cinéma subjectif par le regard sur les choses. Dédramatiser consiste à abandonner l'intrigue et les ficelles, les situations privilégiées et signifiantes, les crises et les coups de théâtre démonstratifs, pour montrer la vie telle qu'elle est, avec ses temps faibles comme ses temps forts. Il s'agit d'un cinéma de l'image qui pratique surtout le plan-séquence et la dilatation de la durée pour laisser les significations surgir des événements.

Et finalement nous parlerons d'un cinéma **abstrait,** particulièrement chez Godard et Bunuel, un cinéma dont les personnages incarnent des idées, un cinéma où les situations servent surtout à élaborer un discours théorique. L'abstraction consiste à vider les personnages et les situations de toute valeur représentative, à les utiliser en fonction d'une démonstration quelconque. Il y a encore fiction mais uniquement en guise d'illustration d'une thématique.

CHAPITRE 2

UN CINÉMA
DE L'INTÉRIORISATION

En 1941, le film *Citizen Kane* d'Orson Welles reconstitue la durée d'une vie à travers les témoignages de gens qui ont connu le personnage principal. En effet, un journaliste cherche le sens du mot « Rosebud » que Kane a prononcé en mourant, et cela à travers le point de vue de cinq observateurs, présenté de façon objective, par flash-back. Nous n'apprendrons pas la signification profonde de cette dernière parole parce qu'il nous manque l'essentiel, la version de Kane lui-même.

Parce que l'observation des comportements ne suffit pas et que nous n'avons pas accès à la conscience intérieure de Kane, le cinéaste est obligé d'intervenir pour donner la réponse. Il passe par-dessus ce qu'il raconte et signale sa présence par des plans subjectifs (réservés aux spectateurs). Par exemple, au début du film quand il montre la mort de Kane, seul dans sa chambre, et à la fin du film quand il passe par-dessus les personnages pour montrer le traîneau dans les flammes.

Orson Welles nous révélait donc le sens du mot « Rosebud » en brisant la transparence de la mise en scène, en faisant passer le style devant l'histoire. Il démontrait ainsi les limites du cinéma classique et surtout la nécessité d'une vue « de l'intérieur ». Dans la mesure où il signalait la présence du cinéaste et remettait en question le réalisme de la représentation, *Citizen Kane* pourrait être considéré comme un film moderne.

Dans cette recherche de l'intériorité, il y a *Rashomon* (1950). Le film de Kurosawa propose aussi un puzzle dans lequel il manque un morceau. Un bandit qui a croisé un couple dans la forêt raconte qu'il a violé la femme pour ensuite détacher le mari et le tuer en duel ; la femme raconte qu'elle a tué elle-même son mari ; celui-ci raconte, par l'intermédiaire d'un médium, qu'il s'est suicidé. Et la version d'un bûcheron qui a été témoin de la scène s'avère aussi crédible que les trois autres.

Kurosawa conserve une finale ouverte, ambiguë, car la vérité serait relative, impossible à vérifier sur la seule valeur des témoignages, encore moins sur celle des images. Cette remise en question du réalisme de la représentation filmique se retrouve aussi dans *Les Fraises sauvages* (1957). Bergman raconte le voyage d'un professeur vers Stockholm et l'examen de conscience auquel il se livre. Il cesse de filmer objectivement l'imaginaire ou de présenter les souvenirs comme tels.

Le film commence par une scène angoissante (montrant un corbillard sans conducteur et une horloge sans aiguille) qui se révélera un cauchemar. Puis graduellement Bergman mêlera la réalité et l'imaginaire en présentant dans la même image le personnage et ses souvenirs, le vieillard du moment et l'enfant qu'il a été. Comme les souvenirs sont poétisés par les sentiments du personnage, au moment où il évoque ces événements ou encore au moment où il les a vécus, le cinéaste présente différemment les images mentales et exprime les nuances de l'imaginaire.

Mais c'est *Hiroshima mon amour* (1959) qui réussit le premier à exprimer directement la subjectivité. Dans ce film d'Alain Resnais, l'imaginaire n'est plus découpé et signalé comme tel, mais la temporalité intérieure y est vécue pleinement. Les souvenirs refoulés (ceux de Nevers) surgissent à l'improviste, faisant partie de la réalité de la femme qui cherche à assumer ses expériences traumatisantes du passé.

Le film ne départage plus l'objectivité de la réalité et la subjectivité du souvenir mais présente les deux de la même façon, comme expérience totale du personnage. Les flashes du passé ne sont pas présentés comme passés mais perçus sur le même plan objectif que les images du présent. C'est la voix off qui assure des repères pour départager les niveaux, ou encore qui chevauche des plans apparemment sans rapport, parce que le film se déroule dans la tête du personnage.

Le film suivant de Resnais, *L'Année dernière à Marienbad* (1961), se veut l'illustration de l'inconscient. Un homme essaie de persuader une femme qu'ils se sont déjà vus, et le récit fonde son ambiguïté sur plusieurs versions d'un même événement d'ailleurs toujours hypothétique. Pleine de redites, d'imprécisions, de corrections, la mise en scène vise à traduire le déroulement de la pensée.

En 1963, le cinéma accède à l'intériorisation clairement reconnue avec *Huit et demi*. Fellini décrit tout simplement les états de conscience d'un cinéaste à la veille de réaliser un film. Guido, le personnage principal, puise son matériel dans ses souvenirs et ses fantasmes, les embellit et les transforme pour les intégrer à sa création. Nous assistons de l'intérieur au déroulement de la réalité du cinéaste, de son imaginaire et de son film. Fellini fusionne tous les temps et tous les niveaux, sans fournir aucun repère et sans rien départager par la voix off.

Il s'agit en quelque sorte d'un monologue intérieur en images où, contrairement à la tradition, les scènes oniriques ne sont pas introduites par un ralenti ou une photographie surexposée. Par exemple, la maîtresse du cinéaste débarque à l'Hôtel des Sources où se trouvent Guido et sa femme. Elle se met à chanter un air d'opéra… et Luisa, l'épouse, vient se réconcilier avec elle : il s'agirait donc d'une scène qui relève de l'imaginaire ? Mais suit aussitôt la scène du harem, où une hôtesse commente l'action avant d'inviter le héros à se rendre chez le Cardinal (ce qu'il fera par la suite).

D'ailleurs cette scène du harem est-elle vraie ou fausse ? On peut d'autant plus se le demander qu'elle s'emboîte dans une scène donnée comme rêvée. C'est une scène imaginaire à demi puisque le personnage y retrouve sa femme, sa maîtresse, l'actrice de son film et les femmes qu'il a désirées. La femme de Guido lui donne raison, l'amie de celle-ci lui pardonne et les autres se mettent à son service. Le cinéaste imagine donc ce qu'il souhaite… À moins qu'il s'agisse d'une scène de son film (en tournage).

Huit et demi propose le regard d'un homme sur lui-même : son enfance, les femmes de sa vie, son éducation catholique et sa culpabilité se mélangent pour constituer son flux de conscience (un homme est fait aussi de ses rêves). Angoissé devant le film à faire, le cinéaste s'abandonne au surgissement incontrôlé des souvenirs, des envies, des sollicitations… mais réconcilie toutes les contradictions par un coup de baguette magique, dans le cirque final (sur une musique de Nino Rota).

Le film suivant de Fellini, *Juliette des esprits* (1965), se promène aussi entre la réalité et ses répercussions dans la conscience d'une bourgeoise. Mais nous sommes plus proches d'un répertoire des clichés psychanalytiques que d'un film moderne, car la multiplicité des registres ou des niveaux y perd de son efficacité dans la mesure où il y a finalement peu d'ambiguïté entre le réel et l'imaginaire.

Belle de jour (Luis Bunuel, 1966), par contre, mélange la réalité et le rêve sans jamais les distinguer (ni par le son, ni par l'image). Des scènes présentées comme réelles se révèlent simples projections de désirs inavoués, tandis que des scènes oniriques prennent de l'importance jusqu'à contaminer tout le film. Dans *La Guerre est finie* (aussi 1966), Resnais insère dans le déroulement de l'histoire des images mentales très courtes, présentées avec la même importance, mais aussi bien au passé qu'au futur (Diego imagine les personnes que, par la suite, il va rencontrer).

Dans *Je t'aime, je t'aime* (Resnais, 1968), le rescapé d'un suicide se soumet à l'expérience d'une machine à remonter dans le temps. Les moments de sa vie (déjà vécue) se succèdent sans qu'il en soit conscient, puisque ce qui se passe dans la tête d'un individu n'est jamais au passé (il n'y a donc pas de flash-back). Anodins, les moments de vie se succèdent de façon discontinue, car le temps n'est jamais rationnel. Et ce qu'on prend pour des flash-back ne sont souvent que des plans de ce qui aurait pu se passer.

L'intériorisation consiste donc à explorer l'univers mental des personnages par l'éclatement de la pensée en une mosaïque d'images et à explorer un espace intérieur, psychique, vécu dans sa durée par la parole. Pour rendre compte de l'inconscient, les cinéastes de l'intériorité pratiquent la multiplicité des points de vue. Ils recommencent la même scène de façon différente, sous de nouveaux angles justifiés par la mémorisation dans *L'Année dernière à Marienbad,* par le tournage d'un film dans *Huit et demi,* par l'écriture d'un roman dans *Providence* (Resnais, 1976).

Cria Cuervos (Carlos Saura, 1975) va jusqu'à présenter des temps différents dans le même espace. Ana, âgée de sept ans (Ana Torrent) et la même Ana plus âgée de 20 ans (Geraldine Chaplin) se retrouvent souvent dans le même plan. L'enfant se bâtit un roman familial en substituant les personnages (nous ignorons si la mort de certains est réelle ou imaginée). De plus, la mère d'Ana et Ana adulte sont jouées toutes deux par Geraldine Chaplin. Et le film peut mélanger le passé, le présent et l'avenir dans la mesure où il s'agirait d'une réflexion d'Ana devenue adulte.

Dans *Elisa mon amour* (1977), Saura explore l'intériorisation par une structure en spirale. Elisa rend visite à son père, retiré à la campagne depuis 20 ans. Elle se rapproche de plus en plus de lui et quand il meurt, elle continue à écrire le journal intime de son père. Le film commence par le récit d'Elisa (avec la voix du père parlant au féminin), fusionne au milieu les deux itinéraires et finit par le récit d'Elisa (vêtue du gilet de son père) à la première personne. Cette réflexion sur l'identité et la solitude laisse le père mourir en disant « tout n'est que représentation ».

Caractéristique surtout du cinéma de la décennie 1960, cette recherche de l'intériorité s'exerce encore aujourd'hui à l'occasion (comme nous le verrons). Mais Bergman et Resnais restent les cinéastes les plus représentatifs de cette tendance du réalisme mental. D'un film à l'autre, ils ont exploré presque tous les moyens de matérialiser l'inconscient, de faire un cinéma à la première personne… Bergman par l'ambiguïté des images, Resnais par la discontinuité du montage.

L'intériorisation chez Bergman

Depuis 1946, Ingmar Bergman a toujours exploré dans ses films les difficultés de s'accepter soi-même et de communiquer avec les autres, bref ce qu'il appelait l'analphabétisme des sentiments. Dans les années 1960, il pousse ses recherches jusqu'à vouloir exprimer les états psychiques ou l'intériorité de ses personnages. Cela l'oblige à forcer graduellement le langage du cinéma, et il passe du classicisme au modernisme dans sa trilogie « des films de chambre ».

Dans le film *À travers le miroir* (1961), un écrivain retrouve son fils, sa fille et le mari de celle-ci. Schizophrène, Karin prend son mari pour son père et son frère pour son mari. Sa dérive la conduit au mysticisme quand elle voit Dieu sous la forme d'une araignée… Bergman adopte une mise en scène complètement dépouillée pour ne retenir que l'essentiel : les visages et les dialogues. Une attention particulière aux gestes les plus simples et le décalage entre ce que nous voyons et ce que dit Karin nous permettent de percevoir les peurs et les angoisses d'une âme.

Dans *Les Communiants* (1962), un pasteur uniquement préoccupé par le silence de Dieu repousse l'institutrice qui l'aime et le pécheur qui lui demande de l'aide. Celui-ci se suicide, ce qui trouble encore plus le pasteur en crise… Bergman réduit encore une fois sa mise en scène austère à l'essentiel, les murmures et les silences. Comme chez Bresson, le monde extérieur est perçu par les personnages et les décors (gelés sous la neige) témoignent d'une tragédie intérieure. La caméra scrute les visages comme si elle voulait accéder à l'âme des personnages.

Dans *Le Silence* (1963), deux sœurs déchirées entre des aspirations contradictoires séjournent dans un hôtel presque désert.

Atteinte de tuberculose, Esther se révèle angoissée, frustrée, réduite à la masturbation, tandis que sensuelle et indépendante, Anna s'absente pour satisfaire ses pulsions avec des amants de passage. Johan, le fils de celle-ci, se promène de l'une à l'autre et cherche à comprendre. Esther a peur de la mort et tente de se réconcilier avec Anna qui, elle, n'éprouve que de la haine pour sa sœur… que d'ailleurs elle laissera mourir seule.

Bergman accentue le mystère des lieux (on y parle une langue inconnue), l'étrangeté des personnages (les nains comédiens) et le symbolisme des situations (prêtant à diverses interprétations). Tout semble indiquer que le film lui-même est un cauchemar. Et Bergman a souvent raconté qu'il s'agissait d'un rêve, ce qui rend plausible la lecture qui ferait d'Anna le corps et d'Esther l'âme d'un même personnage.

Cette trilogie isole les personnages sur une île ou dans une chambre, avec une mise en scène toujours plus dépouillée. Elle explore la solitude à travers la folie, le délire mystique ou la sexualité sans amour. Cette difficulté de vivre coïncide d'ailleurs avec le fait que Bergman semble se résigner au silence (et à l'absence) de Dieu. D'un film à l'autre, il surveille de plus en plus les regards, les gestes d'intimité, les silences, comme pour épier les états d'âme ou deviner les voix intérieures.

Dans *Persona* (1966), Bergman se consacre aux problèmes de la conscience avec elle-même. Ses recherches esthétiques débouchent sur l'intériorisation. Le film commence par un poème visuel sur lequel il s'est écrit des pages et des pages. Contentons-nous de signaler l'image de l'enfant qui tend la main vers l'objectif ou l'écran, sur lequel apparaît un visage qui prend tantôt le masque d'Elizabeth, tantôt celui d'Alma. Ce qui constitue un peu le programme narratif d'un film sur le dédoublement.

L'anecdote est pourtant simple. La comédienne Elizabeth Vogler, devenue subitement muette alors qu'elle jouait Électre, se retrouve en convalescence dans une villa au bord de la mer, confiée aux soins d'une infirmière, Alma. Celle-ci, envoûtée par la grande actrice, se laisse aller à des confidences sur sa vie intime. Elizabeth trahira cette confiance en livrant ces secrets dans une lettre à son mari mais sera démasquée à son tour par Alma qui l'accuse d'hypocrisie et d'avoir échoué dans son rôle de mère.

Au début, au milieu et à la fin du film, le projecteur bloque, la pellicule brûle et se casse. La première partie ressemble à une thérapie. Égoïste et possessive, Elizabeth se réfugie dans le silence pour se protéger des malheurs du monde, pour éviter d'être jugée et pour mieux manipuler les autres. Timide et affectueuse, Alma s'engage et croit vraiment qu'elle peut aider les autres. Ces aspirations contradictoires vont plus loin…

En effet, *Persona* cultive le parallélisme et le dédoublement. Elizabeth a eu un enfant qu'elle ne voulait pas tandis qu'Alma a avorté d'un enfant qu'elle désirait. Dans le récit sur l'orgie, Alma raconte que Katrina et elle-même se trouvaient étendues côte à côte avec des chapeaux de paille (comme Elizabeth et elle-même dans la scène précédente) et qu'elle a fait l'amour avec un garçon inconnu pendant que Katrina s'est contentée de regarder (comme Elizabeth dans la scène suivante).

La deuxième partie dérape de plus en plus dans des fantasmes qui n'appartiennent pas plus à un personnage qu'à l'autre. Une nuit, Alma vient dans la chambre d'Elizabeth et lui caresse le visage. Le lendemain, celle-ci nie le fait : il s'agissait donc d'une scène rêvée? Quand le mari d'Elizabeth lui rend visite, il prend Alma pour sa femme et elle se prête à la substitution. Comme il est impossible que le mari se trompe, cette scène relèverait donc de l'imaginaire?

À un moment donné, Alma accuse Elizabeth d'avoir la maternité en horreur et de détester son fils. Puis elle répète exactement le même discours mais en contrechamp. Projection ou intuition de la part d'Alma, ces confidences ne peuvent être connues que par Elizabeth : encore une fois, il s'agirait d'une scène inventée? À moins que l'infirmière en soit rendue à s'identifier à l'actrice. Il y aurait alors transfert de personnalité, ce qui rendrait logique le plan où les deux visages se fondent en un seul!

Ces scènes (et d'autres), présentées comme réelles mais qui par la suite se révèlent fausses (ou l'inverse), témoignent surtout de l'arbitraire des images et nous obligent à toutes sortes de suppositions. Elles traduisent à coup sûr le cheminement intérieur d'une conscience qui se promène entre la réalité et les fantasmes. Comme le paysage mental peut difficilement être attribué à un personnage en particulier, c'est donc le film lui-même (ou Bergman) qui parle à la première personne.

Persona s'avère conscient d'être un film. La réalité est perçue par quelqu'un, donc intériorisée. Et le projecteur qui bloque, la pellicule qui casse, l'enfant qui tend la main vers l'écran, Elizabeth qui photographie en quelque sorte le public… tout contribue à signaler l'arbitraire des images et le caractère artificiel du film. En même temps qu'Elizabeth découvre le mensonge du théâtre et qu'Alma est déçue par les artistes, Bergman fournit une réflexion sur le (vide du) cinéma.

La trilogie suivante explore l'intériorisation par la parabole. *L'Heure du loup* (1967) traite de l'incompréhension éprouvée par un peintre, isolé sur une île avec sa femme et tentant d'exorciser ses fantasmes. *La Honte* (1968) traite de la lâcheté d'un musicien devant la violence de la guerre, lui aussi isolé à la campagne avec sa femme. *Une passion* (1969) traite de l'impossibilité de vivre en couple. La relation est commentée par les acteurs qui expliquent leur personnage. Et par Bergman, en voix off. Comme ces victimes du cancer de l'âme se réfugient dans le mensonge, le spectateur ne sait plus où commence la réalité, où finit la fiction.

Dans les années 1970, Bergman continue l'exploration d'un langage cinématographique capable d'exprimer ses tourments intérieurs. Dans *Cris et Chuchotements* (1973), l'agonie et la mort d'une femme forcent ses deux sœurs à la vérité, et le film débouche enfin sur la tendresse, sur l'amour désintéressé de la servante Anna. Bergman réalise encore plusieurs films et semble retrouver la sérénité dans celui qu'il a présenté comme son dernier, *Fanny et Alexandre* (1982). Mais il tourne toujours.

L'intériorisation chez Resnais

Alain Resnais s'associe à des écrivains pour tous ses films. Il a commandé le scénario d'*Hiroshima mon amour* à Marguerite Duras, celui de *L'Année dernière à Marienbad* à Alain Robbe-Grillet, celui de *Muriel ou le temps d'un retour* à Jean Cayrol, tous des écrivains qui passeront par la suite à la réalisation de films. Dans les faits, Resnais leur commande une « continuité souterraine ».

Il s'agit de descriptions biographiques ou psychologiques des personnages, de commentaires sur certaines scènes, de précisions sur la chronologie, bref de tout un matériel qui ne doit pas apparaître directement sur l'écran mais dans lequel il prélève quand même des fragments pour ajouter des sous-entendus ou des arrière-plans à son intrigue, pour nourrir sa mise en scène. De cette façon, Resnais raconte des histoires dont la genèse a déjà été formulée mais qui ne nous sera pas fournie.

Le film porte alors les marques d'un drame antérieur qu'on ne connaîtra que par allusions. Il conserve surtout les textes littéraires en guise de récitatif poétique (du moins dans les deux premiers films) au détriment de l'impression de réalité. Extérieur à ce qui se passe sur l'écran, le texte en voix off renvoie à la subjectivité du personnage. Libérée de ses fonctions psychologiques ou dramatiques, la parole se transforme en incantation qui double le récit de sa réflexion. Cet écho souligne par ailleurs la présence d'une instance narrative (assumée par un personnage ou par l'auteur).

Dans *Hiroshima mon amour* (1959), une comédienne française se retrouve au Japon pour tourner un film commémoratif sur les victimes de la bombe. Elle passe une nuit avec un Japonais et sa liaison sans lendemain lui rappelle un amour impossible qu'elle a vécu sous l'occupation allemande. L'aventure à Hiroshima fait resurgir le passé de Nevers, un passé qui empoisonne le présent. Elle accepte de revivre au complet cet amour coupable, trop longtemps occulté, pour s'en libérer ou s'en exorciser.

Resnais ne fait pas un film au présent avec des flash-back (et l'inverse non plus). Il crée une durée intérieure. Les images de l'Allemand mort, au début du film, ne sont pas vues au passé ni perçues par quelqu'un. Elles surgissent sur l'écran pour ensuite disparaître sans explication : elles ne sont que des images mentales. En imbriquant peu à peu les images du passé à Nevers et celles du présent à Hiroshima, Resnais fait beaucoup plus que renouveler l'utilisation du flash-back.

Les choses et même les personnages (le Japonais ou l'Allemand) deviennent perçus à travers la subjectivité de l'héroïne. L'enfermement de la jeune fille dans une cave, la tonte de ses cheveux ou sa veille auprès de l'Allemand tué se mélangent au présent sans respecter la chronologie des faits. Les bribes du passé surgissent selon les tâtonnements de la mémoire du personnage. Elle se rappelle certaines choses, sa conscience en refuse d'autres, il y a des vides et rien n'est rationnel. Cela correspond justement à notre expérience psychologique habituelle, de replacer toutes nos images mentales (d'où qu'elles viennent et quelles qu'elles soient) dans notre courant de conscience et surtout de donner plus d'importance à ce que nous pensons qu'à ce que nous faisons (souvent machinalement).

Le montage donne autant d'importance à la bande sonore qu'à la bande image et donne aux dialogues un caractère de récitatif. La musique, utilisée en contrepoint pour ne pas passer inaperçue, se promène de l'orchestration symphonique au lyrisme vocal en passant par la musique concrète. Le son des cloches de Nevers sur des images du Japon et la musique japonaise sur des images de Nevers en arrivent à dissoudre les frontières entre passé et présent. Le montage obéit à une logique interne et crée un espace mental dans lequel le passé est réactualisé, littéralement revécu par la conscience intérieure du personnage (comme chez Proust).

L'Année dernière à Marienbad (1961) pourrait raconter (tous les dictionnaires ont leur version) l'histoire d'un homme qui essaie de convaincre une femme qu'ils se sont déjà vus. Il essaie de la séduire par la seule fascination de la parole (en voix off). Tout se déroule dans un château baroque que la caméra explore longuement, un château où les gens sont figés et un jardin où, contrairement aux personnages, les ifs taillés en pyramide ne projettent pas d'ombre. Le texte est souvent contredit par les images et il n'y a absolument aucun repère chronologique.

L'homme cherche à entraîner la femme dans le jardin où les statues prennent différentes significations. Elle entre dans son jeu et prend les poses ou les postures imaginées… Il s'agit d'une œuvre ouverte à une foule d'interprétations : certains y ont vu un transfert entre un psychanalyste et sa cliente, d'autres un sursis arraché à la mort, ou encore une rencontre uniquement en rêve… Resterait à savoir si c'est l'homme qui imagine avoir séduit la femme ou la femme qui se rappelle avoir été séduite.

Comme les souvenirs et les désirs sont toujours vécus au présent et viennent à l'esprit de la même façon, le problème consiste plutôt à délimiter dans le film ce qui relève du rêve et ce qui relève de la réalité. Tentative systématique de représenter l'inconscient, *L'Année dernière à Marienbad* ne cherche pas à reproduire quoi que ce soit, non plus qu'à raconter. Le film élabore une combinatoire de scènes interchangeables et n'existe que par les mouvements de caméra, que par la mise en scène.

Dans *Muriel* (1963), l'antiquaire Hélène, qui vit avec son beau-fils Bernard, invite un ancien amant, Alphonse, qui arrive avec sa nièce Françoise. Apparemment aisée, l'antiquaire est en réalité criblée de dettes de jeu, et l'amant romantique se révèle mythomane… Non seulement le film déroule un monde de fausses apparences, mais il multiplie aussi les fausses relations : Françoise n'est pas la nièce mais la maîtresse d'Alphonse, la fiancée de Bernard n'est pas Muriel mais plutôt Marie-Do.

Tous les personnages fondent leur existence sur le mensonge. Hélène vit dans les bagages sans jamais partir, Alphonse n'est jamais allé en Algérie, Bernard veut croire qu'il a torturé Muriel… Ils s'inventent tous un passé ou essaient de le refouler. Incapables de maîtriser leur destin, ces velléitaires ont failli ou voulu partir pour toutes les destinations, manquent tous leurs rendez-vous et pratiquent les faux-fuyants.

Cette fois-ci, les personnages ne sont décrits que dans leurs comportements. Mais leur passé reste insaisissable parce qu'incertain, et la signification se disperse dans l'absence de relations, dans les phrases dépourvues de sens, dans la fragmentation des choses. L'intrigue est à la merci du hasard et toutes les choses ont une égale valeur. Les personnages s'effacent dans la platitude du quotidien et le confort des idées toutes faites. Les images de la réalité tombent dans la plus grande confusion.

Ces trois films se complètent dans leur démarche. *Hiroshima mon amour* entremêle la réalité extérieure et l'univers mental. *L'Année dernière à Marienbad* ne vise à illustrer que l'inconscient tandis que *Muriel* n'explore que la réalité extérieure. Et Resnais poursuit par la suite, d'un film à l'autre, ses recherches sur le langage cinématographique pour traduire le fonctionnement psychique.

Il fournit une synthèse de ses apprentissages sur l'intériorisation dans *Providence* (1976). Le film raconte la nuit d'insomnie de l'écrivain Clive Langham qui imagine son dernier roman en utilisant les membres de sa famille comme personnages. Il en profite pour faire un examen de conscience et si le film s'avère subjectif, c'est parce qu'il s'élabore selon la vision intérieure de l'écrivain (de plus en plus ivre).

En effet, l'organisation des événements reste commandée par le déroulement de sa conscience, et la discontinuité du montage correspond aux échanges entre les différents registres. Il y a d'abord la réalité, celle de l'écrivain en train de boire et d'inventer un roman ; il y a ensuite la fiction, celle du roman en train de s'élaborer avec des personnages issus de la réalité ; il y a enfin l'imaginaire, celui des fantasmes de vieillesse et de mort.

Le film visualise les divagations de Clive Langham qui manipule ses personnages par la voix off. Il leur distribue des rôles (il choisit Helen dans l'avion), s'interroge sur leur nécessité et leur souffle des répliques. L'écrivain essaie la même déclaration dans des décors différents, fournit deux versions de la rencontre entre Claud et Kevin, corrige la chicane entre Claud et Sonia… À force de commentaires, de digressions et de parenthèses, le récit se trouve remis en question. L'image d'un téléphone qui sonne s'impose jusqu'à ce que quelqu'un réponde, et le personnage du footballeur surgit absolument n'importe où.

Au tiers du film, les personnages interpellent l'auteur et refusent les rôles qu'on leur donne. La maîtresse de Claud (Helen) devient sa mère (Molly) et en même temps la maîtresse de son père. Tout comme Claud et Kevin sont interchangeables parce que simples projections de leur père : ils se partagent sa double personnalité, à la fois bourgeoise et anti-conformiste. L'écrivain prête à autrui les reproches de sa propre conscience. De plus, la gestation du roman se trouve traversée par une série de fantasmes sur la mort. Tantôt gratuits (dissection du vieillard), tantôt intégrés (vieillards dans le stade), ils finissent par contaminer tout le film.

L'inconscient tourmenté de Clive prend le dessus, avec ses images de démolition et ses bruits d'explosion, sur le travail de l'écrivain. Tout lui échappe et l'écriture va plus vite. Il en arrive au stade du brouillon. Les faux décors restent à préciser lors de la rédaction finale, les répliques mélangent les tons et l'irréel devient clairement accepté. Les trois registres se fusionnent sans aucune logique et se relativisent les uns les autres.

L'écrivain ne contrôle plus son roman, encore moins son imaginaire. Resnais signale continuellement sa présence en re-commençant ou en corrigeant certaines scènes, en changeant de décors à l'intérieur d'une même scène, en nous faisant par-tager la gestation du roman-film. Mais au dernier tiers, le cau-chemar prend fin avec le réveil de Clive au jardin.

Cette scène s'avère tellement idyllique qu'elle se présente en quelque sorte comme image. La réalité ne s'affiche comme telle que par rapport aux deux autres registres (fiction du roman et imaginaire des fantasmes), surtout que les person-nages viennent remettre en question ce qui nous avait été pré-senté comme objectif. Et si nous acceptons la relativité du roman, il faudrait admettre aussi celle du film lui-même.

CHAPITRE 3

UN CINÉMA DE LA DÉDRAMATISATION

EDGAR MORIN, Jean Baudrillard et d'autres ont bien expliqué l'esprit du temps, celui de la société de consommation des années 1960. L'augmentation du niveau de vie des gens et le renouvellement des biens de consommation laissent croire que le bonheur est possible. Et la recherche du bonheur se confond souvent avec l'acquisition de biens matériels, l'amélioration du confort et des loisirs… d'autant plus que la publicité se charge de convaincre les gens qu'ils peuvent absolument tout s'offrir.

Malgré son apparente prospérité, la société de consommation reste un monde artificiel et sans âme. Godard s'acharne à dénoncer l'aliénation de l'homme moderne mais c'est Antonioni qui illustre le mieux la thématique de la solitude et de l'incommunicabilité. Ses personnages n'ont aucun lien avec la réalité, avec les autres, avec eux-mêmes. Si dans *L'avventura* (1960) l'ennui est la caractéristique d'une classe sociale en particulier (la bourgeoisie), il devient le propre de l'humanité dans les films suivants. Et *Le Désert rouge* (1963) accepte cette incommunicabilité comme condition de l'existence humaine. Antonioni explore la surface des choses, sous-entendant que la réalité n'a aucune signification. Sa démarche s'apparente un peu à celle du nouveau roman. D'ailleurs Robbe-Grillet et Duras prolongent au cinéma leurs expériences littéraires tandis que Michel Butor et Claude Simon transposent dans l'écriture littéraire des procédés filmiques. Le cinéma de Resnais s'apparente aux sous-conversations des romans de Sarraute tandis que celui d'Antonioni s'apparente au micro-réalisme de Butor.

Les années d'après-guerre sont celles de l'éclatement des certitudes, et pour témoigner du désordre de la pensée, le roman ne peut plus se contenter de copier le réel. À l'encontre du réalisme de Balzac et du naturalisme de Zola, les nouveaux romanciers expérimentent de nouvelles façons de raconter autre chose. À la fin des années 1950, les essais *L'Ère du soupçon* de Nathalie Sarraute et *Pour un nouveau roman* d'Alain Robbe-Grillet proposent une littérature du regard.

Au lieu d'expliquer ou d'interpréter le monde, le nouveau roman se contente de le percevoir, de le contempler. L'intérêt n'est plus dans les choses que l'on raconte mais dans leur description, dans l'écriture elle-même. La seule réalité sera donc celle de l'écriture, instrument de liberté autant pour le lecteur que pour l'écrivain. Dans un deuxième temps, Robbe-Grillet et Claude Simon en arriveront même à ne plus raconter que le processus de fabrication de leur œuvre.

Les nouveaux romanciers traduisent la subjectivité éclatée d'un personnage anonyme, incapable de fournir un sens à ce qu'il vit, à ce qui l'entoure. Et cela à travers un récit fragmenté, à l'image du monde intérieur. Les descriptions d'objets et les répétitions de gestes témoignent surtout du doute et du soupçon. Les choses ne signifient rien et ne renvoient qu'à elles-mêmes. Les descriptions exhaustives sont le fait d'un narrateur qui refuse de l'être, jusqu'à confondre les voix narratives.

Un certain cinéma privilégie aussi la surface apparente des choses (plutôt que la psychologie) ainsi que la neutralité du point de vue. Dédramatisé, il cherche à exprimer le présent immobile par l'insistance maniaque des descriptions, il paralyse la durée narrative par de longs plans-séquences au cadrage immobile. Le cinéma fournit, presque naturellement, ce regard pur, celui de personne. En effet l'image filmique peut donner une perception des choses indépendante de l'aventure humaine.

Le système de représentation classique correspond à une culture où l'humain est au centre du monde, et lui donne sa signification. À l'instar du nouveau roman, le cinéma dédramatisé se veut fidèle à une nouvelle culture dans laquelle l'homme disparaît derrière une voix anonyme, une voix qui admet que les significations sont partielles et même contradictoires. Alors que le nouveau roman ne peut se contenter de la description des choses (il lui faut une présence humaine derrière la description), le cinéma peut faire coexister le regard subjectif du personnage et le poids objectif du monde, donc rendre sensible l'affrontement entre l'homme et les choses.

Antonioni pratique une esthétique du plan-séquence, qui vise à rendre sensible la durée en substituant le temps réel au temps dramatique. Et cette durée tend à suggérer un espace intérieur ou du moins un monde perçu par un regard intérieur. Parce que le cinéaste se préoccupe plus de sa vision des événements que de ceux-ci, l'intrigue se fera de plus en plus mince d'un film à l'autre, et l'image de plus en plus présente, importante.

Antonioni fait sentir la présence de la caméra surtout par le cadrage vide, celui où la caméra attend l'entrée du personnage dans le cadre et continue à filmer l'espace vide après que le personnage soit sorti. Ce cadrage insistant contribue à présenter la scène comme un tableau dans lequel le personnage se regarde agir. Pier Paolo Pasolini reprendra cet effet stylistique et le poussera à l'extrême. Il multiplie aussi les gros plans de face du personnage qui ne regarde personne. Détaché de son contexte, celui-ci en arrive à exister pour lui-même, de façon très ambiguë.

Ce que Jean Mitry appelle l'image mi-subjective, Gilles Deleuze l'image-perception et Pasolini le discours indirect libre, c'est une vision médiane entre celle du personnage et celle du réalisateur. À la fois acteur et observateur, le personnage est en représentation. Ce décalage (ou cette théâtralité) s'exerce par des sensations visuelles, des mouvements d'appareil sophistiqués, une certaine distance par rapport aux choses, procédés que nous retrouverons dans les chorégraphies de Jancso et d'Angelopoulos.

Le discours indirect de Pasolini correspond à une contradiction ressentie lors du tournage de *L'Évangile selon saint Matthieu* (1965). Il aurait raconté avec une fidélité scrupuleuse, par nostalgie du sacré, une histoire à laquelle il ne croyait pas, parce qu'il était athée. Il a donc tenu un discours subjectif, selon sa perception de païen, et en même temps un discours indirect, comme s'il était croyant. Cette tension entre le détachement et la ferveur, entre le recul critique et la complicité affective, fournira un point de vue assez complexe, plutôt interrogatif.

Dans *L'Évangile selon saint Matthieu,* Pasolini renouvelle l'imagerie sulpicienne par une mise en scène néoréaliste mais cherche quand même à combler son besoin de mysticisme.

Préoccupé par l'enseignement du Christ et sa signification politique contemporaine, il évite toutefois d'en faire une version marxiste. Dans *Œdipe roi* (1967) et dans *Médée* (1969), il utilise d'autres personnages légendaires, toujours pour explorer ses fantasmes personnels à travers les grands mythes universels.

Miklos Jancso pratique lui aussi la stylisation et se réclame ouvertement de l'influence d'Antonioni. Son film *Sirocco d'hiver* (1969) ne comporte en tout que 12 plans tandis que *Pour Électre* (1974) est constitué de seulement 7 plans, mais s'accommodant très bien du CinémaScope, les plans-séquences peuvent englober des centaines de figurants. Et les mouvements continuels, aussi bien de la caméra que des personnages, en arrivent à créer une action qui n'existerait pas autrement.

Parmi la vingtaine de films de Jancso, les plus importants restent *Les Sans-Espoir* (1965), *Rouges et Blancs* (1967), *Silence et Cri* (1968), cycle de films en noir et blanc sur la géométrie de la terreur, celle où l'individu est broyé dans une spirale politique. Il y a aussi *Ah, ça ira!* (1968), *Agnus Dei* (1970), *Psaume rouge* (1971), cycle en couleurs sur l'exaltation d'un projet révolutionnaire dans lequel la chorégraphie se retrouve au service d'une réflexion. Des *Sans-Espoir* à *Psaume rouge,* Jancso passe graduellement de l'individu à la communauté, de l'écrasement d'un mouvement nationaliste à l'exaltation de l'idéal socialiste.

Les Sans-Espoir raconte qu'au siècle dernier, au lendemain du Compromis austro-hongrois, les partisans du révolutionnaire Kossuth se sont cachés parmi les paysans. Les officiers ont alors élaboré une stratégie de l'humiliation et de la délation pour arriver à les départager, détruisant toute solidarité entre les paysans et les insurgés et tendant un piège tellement machiavélique que les partisans se sont dénoncés eux-mêmes sans le vouloir.

La caméra tourne autour des cavaliers qui encerclent les prisonniers dans la Puszta, cerne ceux-ci quand ils font la ronde dans la cour du fortin, les chaînes aux pieds et la cagoule sur la tête, ou encore se faufile entre deux rangées de soldats qui frappent les femmes à coups de cravache. La caméra ne décrit pas un espace, elle le crée. Toujours en mouvement, elle choisit de séparer tel personnage dans un espace dilaté ou de leur donner tous la même importance par la continuité du plan rapproché.

Le cérémonial commence déjà à vider les personnages de leur humanité, simples pions sur un échiquier, pour les soumettre aux nécessités de la démonstration. D'un film à l'autre, Jancso épure sa réflexion sur l'exercice du pouvoir et la violence politique. Refusant complètement le psychologisme et la vraisemblance, il abandonne graduellement le récit pour passer à l'allégorie. Ses personnages représentent la noblesse, l'armée, l'Église… et un mort sera ressuscité par un baiser, une blessure à la main se changera en cocarde. Les images ne racontent plus, elles signifient.

En cultivant l'utilisation systématique du plan-séquence, Jancso ignore les codes du langage classique et pratique le montage dans le plan. Toujours en mouvement, la caméra se faufile entre les personnages, par ailleurs toujours en déplacement. Quand les forces de l'ordre avancent au pas cadencé et en ligne droite, les insurgés se déplacent alors en volutes ou en cercles. Et la symbolique des couleurs, particulièrement celle des vêtements, participe à cette chorégraphie révolutionnaire.

Dans le second cycle, le rituel ne transpose plus l'écrasement des révoltes mais plutôt le triomphe de l'idéal socialiste, complètement poétisé. Et *Psaume rouge* reste le modèle le plus achevé de ces métaphores du stalinisme, proches du cérémonial liturgique. En effet le film vante le sens du dévouement et du sacrifice selon un rituel emprunté au christianisme (baptême, confession, serment de fidélité). Entre les chants patriotiques français (*La Marseillaise,* la carmagnole) et la musique tzigane, il invente même un *Pater noster* socialiste.

Ce qui pourrait passer pour un exercice de style propose, dans les faits, un discours politique très rigoureux. Dans la première partie du film, quelques paysans forment une avant-garde révolutionnaire et mènent une lutte, reconnue par les autres, contre le pouvoir économique (le régisseur), contre le pouvoir militaire (les officiers) et contre le pouvoir idéologique (le comte). Mais les victoires ne sont pas aussi faciles dans la deuxième partie du film, quand les paysans affrontent le curé, se divisent entre eux et se font finalement massacrer par l'armée, toujours dans une farandole de plus en plus élargie.

Officiellement, le film raconte les soulèvements paysans de la fin du XIXe siècle. Les incohérences sur les forces sociales en présence s'expliquent par le fait que le référent implicite serait la Hongrie de 1956, celle des alliances, de la forte opposition de l'Église au soulèvement populaire et de l'intervention violente de l'armée. Jancso propose donc une lutte menée par une avant-garde, ce qui s'avère contraire à la ligne de masse encore proposée par le Xe Congrès de 1970. Malheureusement, Jancso élaborera par la suite des ballets filmiques de plus en plus gratuits.

Le cinéaste Theo Angelopoulos a toujours avoué son admiration pour le cinéma d'Antonioni, de Jancso et d'Oshima. D'ailleurs il pratique lui aussi la dilatation de la durée et la dédramatisation. Dans les années 1970, il est surtout préoccupé par l'histoire de son pays et le rendez-vous manqué avec la révolution, grand rêve trahi par les classes dirigeantes. Il explore alors la mémoire collective, télescopant les différents passés, entremêlant la réalité et l'imaginaire. Les plans-séquences commencent souvent dans un lieu ou à une époque donnée pour se terminer ailleurs...

Le Voyage des comédiens (1975) raconte les années terribles de la Grèce (la dictature de Metaxas, l'occupation allemande, la guerre civile) à travers les pérégrinations d'une troupe de théâtre. Le film commence dans une gare en 1952, multiplie les flash-back et se termine au même endroit en 1939. À travers trois registres qui se commentent les uns les autres : la représentation d'un drame pastoral, ce qui se passe sur la scène nationale et les aventures des comédiens qui recoupent le mythe des Atrides, le cinéaste entremêle la politique, l'imaginaire et la mythologie.

Les Chasseurs (1977) commence et finit le 31 décembre 1976. Six chasseurs découvrent dans la neige le cadavre encore frais d'un maquisard communiste abattu en 1949. Ils le transportent dans un hôtel. Leurs dépositions (et celles de leurs femmes) évoquent le passé du pays depuis 1949, en passant par la dictature des Colonels. Encore une fois, la chronologie est à la merci des courants de conscience du groupe. Les chasseurs incarnent les bourgeois au pouvoir et le psychodrame conjugue les peurs d'une classe à qui profite l'idéologie totalitaire.

Dans *Les Chasseurs,* le regard critique sur l'Histoire s'exerce dans un cérémonial proche du cinéma de Jancso. Là aussi, les chasseurs fusillés devant l'hôtel se relèvent comme si la scène n'était qu'un fantasme né de leur angoisse. Angelopoulos cultive les interférences entre les époques par de simples raccords dans le mouvement, et ses métaphores soulignent que le passé est encore actuel. Tout est symbolique (un cadavre du passé qui saigne encore) et le cinéaste vise moins la reconstitution que le dévoilement, par la théâtralité, d'une mentalité ou d'un comportement politique.

Le cinéma contemplatif d'Antonioni, Pasolini et Jancso en arrivera à ne plus se référer du tout à la réalité. Il abolira toute valeur représentative et les films ne renverront plus qu'à eux-mêmes. En supprimant les détails, en étirant le temps, en vidant les personnages de toute existence humaine, les cinéastes de la dédramatisation se débarrassent de l'anecdote au profit d'un discours structuré. Ils en arriveront à la mise en scène d'un concept, à un cinéma schématique, abstrait.

La dédramatisation chez Antonioni

De la même façon que le nouveau roman abandonne la psychologie, que la musique atonale abandonne la mélodie et que la peinture abstraite abandonne la figuration, le cinéma de Michelangelo Antonioni abandonne l'intrigue. Il refuse la dramaturgie traditionnelle : il prend ses personnages à un moment quelconque, leur fait traverser des événements qui n'ont aucune signification particulière et les abandonne en cours de route… sans jamais proposer de résolution finale.

Il laisse la réalité se dérouler sans nécessité évidente, sans causalité rigoureuse. Dans la mesure où il ne se passe rien, il pratique la dédramatisation. Perçu comme le prototype du cinéma moderne, le cinéma d'Antonioni explore une nouvelle thématique, celle de l'incommunicabilité, et une esthétique particulière, celle de la contemplation. Celle-ci se caractérise surtout par la dilatation de la durée, ce qui détruit toute logique narrative et détourne l'intérêt sur le film lui-même, sur son écriture.

Un peu comme l'écrivain Michel Butor (dont il aurait voulu adapter *La Modification*), Antonioni cherche à cerner la vérité subjective par l'accumulation des gestes les plus quotidiens, pour ainsi dire vides de sens. Et les personnages, qui se contentent de regarder, en arriveront à se percevoir eux-mêmes comme des objets. Ce micro-réalisme consiste à filmer des rues désertes, des couloirs anonymes, des plages brumeuses, bref des choses qui servent surtout à faire prendre conscience qu'il ne se passe rien. Devenue banale, la réalité ne livre que son insignifiance.

Dans *L'avventura* (1960), un couple se retrouve en croisière au large des îles Éoliennes. Présentée comme le personnage principal, Anna disparaît pourtant lors d'une escale… et le film ne s'intéresse plus qu'à son mari Sandro et son amie Claudia qui partent à sa recherche, sans la trouver. Il y a donc déplacement d'intérêt sur le couple, sa confusion des sentiments et sa relation qui ne mène à rien. La lenteur des descriptions correspond au cheminement psychologique des personnages et le film se veut méditation.

La Nuit (1961) présente un couple marié depuis dix ans et observe l'instabilité des sentiments dans un décor complètement vidé de sens. Après une nuit d'errance, le film se termine sur la difficulté pour le couple d'admettre la mort de leur amour. *L'Éclipse* (1962) propose une rencontre entre une femme mariée et un agent de change qui se contente d'être là, superficiel. Les choses prennent graduellement le dessus sur les personnages, et à la fin, la femme se retrouve encore une fois seule.

La trilogie observe des personnages qui déambulent dans des terrains vagues ou des champs d'usine, à la recherche de quelque chose qu'ils ne trouvent pas. Entourés de mystère, leurs comportements sont toujours ambigus. Leur inadaptation au monde qui les entoure et leur incapacité de communiquer ne sont pas expliquées, seulement ressenties. Antonioni scrute les gestes les plus banals et les regards dans le vide, sans aucune explication psychologique. Il préserve la part secrète des personnages en laissant deviner l'essentiel par la durée, les silences, les sous-conversations.

Le Désert rouge (1964) raconte la névrose d'une bourgeoise incapable d'intégrer une réalité dans laquelle elle se sent inutile. Elle traîne son angoisse dans une banlieue industrielle, entre un mari qui ne se préoccupe que de son travail et la considère comme malade, un enfant qui joue avec ses sentiments et ne s'intéresse qu'à ses jouets, et un amant qui lui manifeste tout au plus une certaine compassion. À la fin, elle se retrouve seule, dans un décor qui prend les couleurs de son désarroi. La mise en scène se situe entre la perception troublée du personnage et le regard objectif du cinéaste. Dans les scènes de huis clos, se produit un chassé-croisé entre le personnage et la caméra. Celle-ci épie Giuliana qui sort du cadre pour se cacher dans un coin de la pièce… où l'attend la caméra. Choisissant souvent des angles impossibles, la caméra adopte un point de vue indépendant de celui des personnages. Autonome, elle multiplie les plans d'un même sujet, sous des angles différents. Non pas pour ajouter des informations supplémentaires mais pour rendre palpable l'évolution très lente des sentiments.

L'errance prend pour lieu un espace indéterminé, d'autant que le cinéaste vide ses paysages, les épure, les désertifie, ce qui se vérifiera dans *Zabriskie Point* (1970) et *Profession : reporter* (1974). Il déforme la réalité pour lui faire exprimer les états d'âme de ses personnages. Il trouve sur place les cadrages et les compositions dont il a besoin, il organise le décor jusqu'à peinturer les objets et même la nature. Souvent le centre de l'image est vide et les personnages, placés sur les bords, sont marginalisés par rapport aux objets qui prennent alors autant d'importance qu'eux.

Des cheminées d'usine, des tuyaux au-dessus de la mer ou des citernes dans les champs servent de matériaux pour créer un espace qui souligne la solitude du personnage. Soustraits du monde extérieur, les personnages se retrouvent disposés dans un décor, participant à la composition de cadrages sophistiqués. D'ailleurs les images de la réalité s'apparentent à des tableaux surtout par leur absence de relief. En effet Antonioni utilise constamment le téléobjectif, non pas pour grossir les objets mais pour réduire la profondeur de champ (nécessaire au réalisme). Le fond flou crée un espace pictural à deux dimensions, et les personnages plaqués sur un mur soulignent la surface plane de l'écran.

À partir du film *Le Désert rouge,* cette absence de relief s'exerce aussi par la stylisation des couleurs, pures et sans ombres. Les couleurs les plus tranchées surgissent dans le brouillard ou la fumée. Antonioni les utilise pour leur valeur expressive (et non pas naturelle) dans la mesure où les couleurs reflètent l'univers mental du personnage. À moins qu'elles en arrivent à exister pour elles-mêmes, tout simplement pour leur beauté plastique, comme dans un tableau non-figuratif.

Antonioni brise donc systématiquement les notions d'espace, mais aussi de temps. Il étire la durée en conservant les temps morts, il se permet même d'en créer. Il filme les lieux avant que le personnage n'y fasse son entrée et continue à filmer après que celui-ci soit parti. Ces plans vides au début et à la fin de chaque scène font que les choses en arrivent à exister pour elles-mêmes, encadrées dans un tableau. À l'instar de la peinture moderne où nous ne regardons pas des fruits mais plutôt un Matisse, nous ne suivons pas ici une histoire mais nous regardons un Antonioni. Reste à admettre que le cinéaste filme des natures mortes.

Il s'agit d'un cinéma de la contemplation. Le découpage ne sert plus à mettre en relief les événements les plus importants et le montage ne sert plus à fournir un point de vue privilégié, donc à faciliter la lecture par le spectateur. Le statisme de la caméra et le rythme très lent fournissent au contraire des scènes présentées comme elles ont été tournées, avec leur espace homogène et leur durée réelle. Les scènes prolongées à la limite du supportable engendrent une perception sensible de la durée qui laisse croire qu'il y a peut-être des significations cachées. La présence insistante de l'image sollicite surtout notre perception affective ou émotionnelle.

Sous prétexte de trouver une expression plus complète de la cassure face à l'étrangeté du monde moderne, le cinéaste pratique la lenteur pour nuancer la psychologie jusqu'à son effacement. Il multiplie aussi les anecdotes mystérieuses pour exprimer l'enlisement dans le détail et la perte du sens. Dans *Le Désert rouge,* la page de journal qui tombe devant Giuliana ainsi que la charrette du jardinier devant laquelle elle s'assoit ne servent à rien, sinon à contribuer au caractère poétique (donc arbitraire) d'un film où le style l'emporte sur le contenu.

Au début Antonioni cherchait à décrire l'instabilité d'une conscience intérieure… Peu à peu, il en arrivera à décrire un monde sans conscience. Il a réussi ce que Robbe-Grillet aurait voulu réussir au cinéma : restituer aux choses une présence pure, faire ressentir que « le monde n'est pas signifiant, ni absurde, il est… tout simplement ». Il a créé un cinéma de l'abstraction lyrique, dans lequel les personnages restent ambigus au point de devenir la représentation de certaines valeurs. Particulièrement à partir de *Blow Up* (en 1966) sur lequel nous reviendrons dans le chapitre suivant.

CHAPITRE 4

UN CINÉMA
DE L'ABSTRACTION

BUNUEL, GODARD, PASOLINI (dans certains films) et d'autres cinéastes s'appuient sur l'impression de réalité moins pour raconter des histoires que pour incarner des concepts dans des situations particulières. Si une histoire organise des événements dans le temps et qu'une intrigue implique en plus une notion de causalité construite autour d'un personnage, on peut dire que ces cinéastes racontent des histoires sans intrigue.

Les cinéastes de l'abstraction pratiquent aussi la discontinuité et manipulent les événements ou les situations, mais justement pour démontrer l'absence de significations. Ils visent à abolir toute valeur représentative dans leurs films. Ils créent un univers indéterminé, un espace indéfini et une temporalité sans aucun repère. Il n'est plus question de vraisemblance, ni géographique, ni temporelle. Leurs films construisent des démonstrations avec des personnages-idées et des scènes-concepts.

Par exemple, *Week-end* (Godard, 1967), *Théorème* (Pasolini, 1968) et *Le Charme discret de la bourgeoisie* (Bunuel, 1972) élaborent un discours théorique sur divers aspects de la bourgeoisie. Ou encore, *La Chinoise* (Godard, 1967), *Satyricon* (Fellini, 1969) et *Le Fantôme de la liberté* (Bunuel, 1974) accumulent des scènes qui se déplient graduellement autour d'un thème particulier pour mieux l'explorer. À moins que les films ne parlent que d'eux-mêmes, soulignant les mécanismes de leur propre élaboration.

Ce cinéma se caractérise surtout par le refus de relation logique entre les scènes. Dans *Week-end,* il n'y a aucun lien de cause à effet entre la scène des éboueurs, celle de l'assassinat de la belle-mère et celle des maquisards du FLSO, scènes pourtant successives. Dans *Le Fantôme de la liberté,* la scène du tueur fou, celle du préfet de police au cimetière et celle des gendarmes au zoo de Vincennes ont beau se suivre, elles semblent ne mener nulle part. Les relations ou les rapprochements se font ailleurs, dans une structure globale, par-dessus le (pseudo) récit.

Le sens de chaque scène dépend de la structure générale et toute interprétation de chacune d'entre elles exige d'avoir vu le film en entier (comme nous le vérifierons chez Bunuel). Le souci polémique ou didactique l'emporte sur les exigences de la fiction. La richesse psychologique des personnages se trouve sacrifiée au profit d'un catalogue de stéréotypes (le bourgeois, l'ouvrier, l'étudiant, etc.). Les personnages s'inscrivent dans un discours théorique qui charge les situations d'illustrer un thème particulier (la culture, le travail, la consommation, etc.).

Dans *Théorème* (1968) de Pasolini, un ange (ou un démon) surgit de nulle part et couche avec les membres d'une famille milanaise. Ce qui ébranle la routine de chacun. La mère devient nymphomane, la fille tombe dans le mysticisme, le père donne son usine à ses ouvriers avant de disparaître nu dans le désert… La démonstration s'ouvre à toutes les ambiguïtés : il s'agit peut-être d'un film sur l'élévation des âmes, sinon sur la superficialité de la classe bourgeoise, à moins qu'il ne s'agisse d'une parabole sur le transfert de la grâce par le coït.

Dans *Porcherie* (1969), un homme du désert mange le soldat qu'il a tué et finira dévoré par les chiens, tandis que le fils d'un industriel refuse l'amour d'une gauchiste pour lui préférer des jouissances perverses avec des truies, qui par ailleurs le dévoreront. Le cannibalisme d'un épisode est monté en parallèle avec la bestialité de l'autre épisode et Pasolini conteste ainsi la société bourgeoise. Reste que l'arbitraire de ses paradoxes peut aussi bien réjouir ses exégètes que laisser les autres indifférents.

Dans *Salo ou les Cent Vingt Journées de Sodome* (1975), Pasolini dénonce la décadence de notre civilisation en montrant des nazis inspecter à la lampe de poche l'anus des misérables condamnés à mort ou évider l'œil d'une jeune fille avec une cuillère. Le cinéaste dénature le nazisme autant que Sade, en les assimilant, et la provocation l'emporte sur la rigueur de la démonstration.

Généralement l'incarnation de l'idée la plus abstraite nous est proposée par la fiction la plus réaliste, du moins dans son déroulement. Certains cinéastes, comme Dusan Makavejev, confrontent même leur fiction à des reportages ou des films d'archives. Dans *W.R., les Mystères de l'organisme* (1970), tourné en Yougoslavie, une femme libérée prêche les théories de Wilheim Reich à un patineur russe tellement refoulé qu'il finit par lui couper la tête.

Cette fiction se trouve entrecoupée de films russes sur Staline ou de films nazis sur l'euthanasie. En parallèle, un documentaire tourné aux États-Unis sur les disciples de Wilheim Reich est entrecoupé de scènes avec Nancy Godfrey caressant le pénis de certaines vedettes pour les mouler en érection ou de scènes avec Tully Kupferberg masturbant une mitraillette en plastique dans les rues de New York.

Le discours de Milena Dravic sur la politique comme compensation à des orgasmes insatisfaisants se trouve illustré par des milliers de Gardes rouges bandant le bras avec le *Petit Livre* de Mao, tandis que les membres du Sexpol baisent à couilles rabattues sur un hymne au communisme. Makavejev soutient que la révolution politique passe par la libération sexuelle (rien de moins) en mettant dos à dos les mensonges de la gauche et l'hypocrisie de la droite. Il cultive le paradoxe et si la thèse reste ambiguë, elle permet au moins un défoulement jubilatoire.

Le modèle du film abstrait reste *Blow Up* (Antonioni, 1966) qui n'a rien du drame psychologique traditionnel. Le personnage principal n'a pas de nom et reste imperméable à toute évolution. Se contentant de regarder, il épie les itinérants de l'asile de nuit, ses amis en train de faire l'amour, le couple dans le parc. Incapable de sentiments, il ne communique avec personne et n'a finalement aucune prise sur la réalité. On peut même parler d'impuissance, surtout que la seule scène d'amour (!) s'exerce par l'entremise d'un appareil photo avec la mannequin Verushka.

Le personnage principal s'avère insouciant, superficiel, mais il prend conscience de la réalité par l'agrandissement d'une photo *(blow up),* celle du parc. Il décide alors de s'engager, de mener une enquête, mais les gens restent tous indifférents. Privé de conscience intérieure et de réflexion critique, il se résignera finalement à son impuissance. Il réintégrera le monde des clowns en participant à une partie de tennis sans balle. Car il n'est rien d'autre qu'un voyeur… renvoyé à son propre regard.

Il n'y a aucune transformation entre le début et la fin, donc aucun récit. S'il y a prise de conscience, elle ne sert à rien. Et nous nous retrouvons avec une suite de tableaux sans articulation logique, dépourvue de signification évidente. Certaines scènes n'ont aucune nécessité dramatique (celle des « groupies », celle de l'hélice, celle de la guitare) sinon de diluer l'intrigue principale. Et l'enquête se creuse de sa propre négation.

En effet, la fausse intrigue policière commence au milieu du film pour finalement ne mener nulle part. Nous n'apprenons rien, ni le mobile du crime, ni l'identité de la victime, ni celle de l'assassin. Le personnage principal n'a pas vu le meurtre, seulement des traces, qui d'ailleurs disparaîtront comme s'il ne s'était rien passé. Il cherche à reconstituer une histoire dans une séquence photos à cause du regard inquiet d'une femme. De la même façon, nous cherchons à dégager une intrigue dans une série de scènes à cause du regard emboîté du photographe. Pourtant le récit témoigne surtout de la disparition des significations.

La scène centrale de l'agrandissement devient une métaphore du film lui-même. Quand le photographe scrute les clichés agrandis, il entend le bruit du vent dans les arbres comme il entendra un coup de feu en regardant le cadavre ou encore le bruit de la balle de tennis. Quand le photographe est confronté à la réalité du cadavre, c'est justement la seule fois où il n'a pas son appareil. Par ailleurs, seule la photo a su dégager la réalité du meurtre, d'autant plus incertaine que les images se trouvent ramenées à leur seule apparence. À l'instar du nouveau roman, nous regardons quelqu'un qui regarde… dans un univers de l'artifice.

Il n'y a aucune psychologie car les gens n'ont pas d'âme et il n'y a pas d'intrigue car il s'agit d'un film sur l'image, sur la confusion entre la réalité et sa perception, un film sur le voyeurisme et la notion d'objectivité. Encadré par des scènes de mime, *Blow Up* se referme sur lui-même comme une toile (d'araignée) qui vaut pour elle-même. Antonioni élabore une réflexion sur l'illusion de la photo et par extension, sur la création filmique.

Est-ce que le cadavre est réel ou si, au contraire, le photographe l'a simplement imaginé comme il imaginera le bruit des balles de tennis ? L'objectivité de ses photos atteste pourtant la réalité du cadavre, à moins d'admettre que la photographie ne saisit que la surface des choses, que les apparences ? Permettons-nous trois interprétations complémentaires.

Le film remet en question **la notion d'objectivité de la photo.** De la même façon que le peintre fait du « dripping », ne sachant pas au départ ce que ça donnera mais finissant toujours par y trouver quelque chose, le photographe agrandit la photo et plus le paysage se désagrège en « dripping », plus il finit par y trouver quelque chose. Antonioni désintègre l'objectivité pour proposer que la vérité se trouve dans le formalisme, dans l'abstraction.

Le film remet en question **la notion d'objectivité du regard.** Le photographe prend conscience de la réalité par l'entremise de son appareil qui, justement, voit des choses imperceptibles à l'œil humain. Plus perfectionné que l'œil humain, l'objectif de la caméra compenserait les insuffisances de l'œil et permettrait de reconstituer ce qu'on n'a pas vu. Antonioni propose donc que la photographie (ou le cinéma) explore mieux la réalité en aidant à découvrir certaines significations cachées.

Le film remet en question **la notion d'objectivité elle-même.** La réalité est réduite aux seules apparences et l'image se révèle plus vraie que la réalité. La preuve en est que le personnage principal finit par voir le drame sur l'agrandissement, finit par voir et toucher le cadavre, finit par voir et ramasser la balle et même par entendre le bruit des échanges sur le court de tennis. Et il y croit! Exactement comme le spectateur croira n'importe quoi, simplement parce qu'on le lui aura montré.

Certains cinéastes modernes utilisent donc un récit minimal pour élaborer un discours proche de la réflexion philosophique. Ce qu'il ne faut pas confondre avec le cinéma baroque, celui de Robbe-Grillet par exemple. *L'Immortelle* (1963) ou *L'Homme qui ment* (1967) participent à un jeu dans la mesure où ils épuisent toutes les possibilités d'un système narratif, quitte à diluer les capacités expressives du cinéma.

Dans *Trans-Europ-Express* (1966), l'auteur, sa femme et le producteur du film prennent le train et se racontent une intrigue policière. Les scènes s'emboîtent les unes dans les autres de façon à ce que l'imaginaire de l'un devienne la réalité de l'autre. Le personnage « réel » retrouve sur le quai de la gare la putain « inventée »... et encore une fois, le spectateur ne distingue plus la réalité de l'imaginaire, qui s'annulent l'un l'autre.

Alain Robbe-Grillet structure des mobiles avec des éléments cycliques ou interchangeables. Il pousse l'audace jusqu'à remonter autrement *L'Éden et après* (1969) pour en faire un autre film encore plus gratuit, *N a pris les dés* (1970). Ses expérimentations débouchent sur des exercices de style qui tournent à vide. Ayant débarrassé son cinéma du récit, il est souvent associé aux cinéastes de la déconstruction.

En effet, certains cinéastes, surtout après Mai 68, pratiquent la déconstruction pour explorer jusqu'où l'abstraction peut se passer de récit. Straub, Syberberg, Duras et Godard s'acharnent à juxtaposer les choses les plus contradictoires pour forcer ainsi le spectateur à reconstruire les significations. Ils cherchent de nouveaux rapports entre les images et les sons, explorent les virtualités du texte à l'intérieur du film et dévoilent les processus du cinéma en train de se faire.

Othon (Jean-Marie Straub, 1971), *Ludwig – requiem pour un roi vierge* (H.-J. Syberberg, 1972) et *India Song* (Marguerite Duras, 1975) refusent la notion de personnage et aussi le processus d'identification, la notion de récit et celle d'impression de réalité. Parce qu'ils s'attaquent à la notion de représentation, ils contribuent surtout au cinéma expérimental, cinéma qui n'est pas le sujet de ce livre.

L'abstraction chez Bunuel

Cinéaste surréaliste, Luis Bunuel a élaboré un univers où le rêve devient graduellement plus important que la réalité, tout simplement parce qu'il s'avère plus vrai, plus significatif. *L'Ange exterminateur* (1962) et *Simon du désert* (1965) rendent hommage à l'irrationnel mais les films de la fin de sa carrière s'attaquent encore plus à ce qui constitue le cinéma classique, à savoir l'impression de réalité et la logique narrative.

Dans *Belle de jour* (1966), Séverine est partagée entre sa réalité de bourgeoise comblée et ses fantasmes masochistes. Elle en arrive à mener une double vie : putain l'après-midi mais épouse modèle le reste du temps. Construit de façon symétrique autour de la scène de messe noire, le film propose que Séverine est enfin réconciliée avec elle-même (au milieu) quand surgit le problème : un client qui veut briser l'étanchéité entre les deux univers a recours à la violence. Et l'héroïne se retrouve avec un mari infirme, donc incapable de la satisfaire. À moins que le film en entier ne soit qu'un rêve, comme le laisse supposer le dernier plan.

Dans *Tristana* (1969), une orpheline est mise sous la tutelle de Don Lope qui en fait son amante. Elle se sauve avec un jeune peintre pour revenir plus tard, amputée d'une jambe. Elle accepte le mariage avec le vieux riche, se refuse à lui et finalement le laisse mourir. L'évolution des deux personnages est carrément inversée. Don Lope clame des théories libertaires pour ensuite les contredire une par une dans sa façon de vivre, tandis que Tristana, au contraire, passe de la soumission à la rébellion.

Et les événements du film se déroulent deux fois pour souligner, par exemple, l'opposition entre les riches et les pauvres.

Encore une fois, le dernier plan laisse croire que tout a été imaginé (donc que le rêve peut très bien expliquer le pouvoir de l'argent). Dans ces deux films, Bunuel se préoccupe surtout des personnages mais élabore déjà une structure binaire qui prendra ensuite toute son importance. En effet, elle permettra au cinéaste de structurer les films suivants autour d'un ou plusieurs thèmes (qui assurent leur unité) sans se préoccuper de raconter une histoire.

Dans *La Voie lactée* (1968) deux pèlerins se rendent de Paris à Saint-Jacques-de-Compostelle et rencontrent aussi bien des personnages du passé (Sade, les Inquisiteurs) que des personnages imaginaires (Dieu, Satan); et ils se retrouvent dans les lieux les plus inattendus, aussi bien aujourd'hui qu'au IVe ou au XIXe siècle. Bunuel ajoute même des scènes de la Bible, en guise de commentaires. Les événements sont tous présentés de la façon la plus naturelle, sans aucune explication sur le contexte historique, et la succession des épisodes semble relever du hasard pur et simple.

Pourtant l'architecture est serrée. Encadré par la rencontre avec Dieu (en noir) et celle avec la putain (vêtue de noir et de blanc), le film est coupé en deux par la rencontre avec le Diable (en blanc). Dans la première partie, la scène de l'auberge française avec le prêtre fou correspond, dans la seconde partie, à celle de l'auberge espagnole avec le prêtre bavard, la scène de l'évêque Priscillien avec le faux miracle correspond à celle de l'évêque espagnol avec le vrai miracle, la scène du défi du maître d'hôtel à celle du défi entre le jésuite et le janséniste, et la scène du couvent avec les élèves à celle du couvent avec les religieuses.

Exactement le contraire d'une autre, chaque scène illustre un dogme chrétien : l'Eucharistie, l'origine du mal, les deux natures du Christ, puis la grâce et le libre arbitre, la Trinité, la Vierge Marie. À l'instar de la scène du milieu où l'accident que souhaitent les deux pèlerins se réalise, la reprise des scènes propose que le verbiage religieux finit par avoir des conséquences et engendre une violence réelle.

La structure binaire permet un discours assez complexe pour éviter le manichéisme. En effet, Bunuel ne conteste surtout pas les dogmes par d'autres dogmes. Il relativise le vrai et le faux, la réalité et l'imaginaire, le temps et l'espace... surtout pour forcer le spectateur à la remise en question. Les croyances semblent aussi ridicules que les hérésies et les deux pèlerins se contentent de les observer de l'extérieur, sans intervenir, pour éviter de leur donner de l'importance.

Dans *Le Charme discret de la bourgeoisie* (1972), il n'y a aucune logique narrative puisqu'il s'agit de huit variations sur un même thème, huit tentatives que font des bourgeois de souper ensemble, acte perpétuellement manqué ou laissé en suspens pour différentes raisons. Encore une fois les personnages n'ont aucune psychologie, dans la mesure où ils ne sont que de simples pions dans une structure démonstrative. Quand ils ne se contentent pas de déambuler sur une route de campagne.

Dans la première partie du film, les bourgeois voient leurs tentatives de souper ensemble interrompues par l'envie de forniquer (inavouée aux autres), par l'exposition d'un cadavre, par le manque de vivres et même par l'arrivée de l'armée. La peur de l'érotisme, de la mort, d'une pénurie ou de l'insécurité se conjuguent clairement entre la réalité ou l'imaginaire reconnu comme tel ; les coïncidences restent vraisemblables.

Dans la deuxième partie, les repas sont perturbés par l'ouverture du quatrième mur sur un public de théâtre (les

bourgeois se retrouvent en représentation), par des revendications nationalistes, par l'intervention de la police et enfin par
des criminels. Ces craintes de perdre la face, de l'insurrection
des opprimés, de l'arbitraire du pouvoir et de la violence gratuite se conjuguent cette fois-ci de façon particulière.

Les frontières entre la réalité et l'imaginaire sont en effet
complètement sabotées. Les derniers épisodes emboîtent des
flash-back l'un dans l'autre : le cauchemar du brigadier s'avère
raconté par le commissaire qui, lui, est justement rêvé par
l'ambassadeur… Le spectateur ne sait plus ce qui reste vrai ni à
partir d'où il a dérapé. En plus de nous laisser sur notre faim
puisqu'il ne termine aucune scène, Bunuel nous tire le tapis
sous les pieds pour nous faire admettre que tout est relatif.

Gentils et insignifiants, les bourgeois ne servent à rien ; ils
ne travaillent même pas. Trop froids pour vivre une amitié,
trop futiles pour tenir une conversation intéressante, trop rai-
sonnables pour les vrais plaisirs de la table, ils mangent ensemble surtout pour consommer. Bunuel dynamite le rituel du
repas par le rêve pour dégager la vraie nature ou les peurs pro-
fondes de la bourgeoisie. *Le Charme discret de la bourgeoisie*
refuse le drame bourgeois (donc le spectacle). Il élabore plutôt
un discours sur la bêtise discrète de la classe dirigeante.

Le Fantôme de la liberté (1974) raconte une quinzaine
d'anecdotes indépendantes les unes des autres. Toutes inache-
vées, elles s'emboîtent selon le principe des vases communi-
cants : chaque épisode dégage un personnage autour duquel
s'organise l'épisode suivant. Encore une fois, ces anecdotes se
départagent également autour d'une scène charnière, celle de
l'amour fou du neveu pour sa tante.

Encadré par une fusillade à Tolède en 1808 et une fusillade
à Paris en 1968, le film répète des scènes semblables : deux pro-

fanations de sépulture, deux familles bourgeoises avec gouvernante, deux visites chez le médecin… La première partie envisage la sexualité comme thématique (fantasmes de désir) tandis que la deuxième partie envisage la violence comme thématique (fantasmes de mort).

Bunuel commence par proposer des situations plausibles où s'infiltre le doute. On change le sens des mots (« Vivent les chaînes » devient « Vive la liberté »), on change le sens des images (les images pornographiques sont en réalité des images saintes), on change le sens des choses (les scapulaires deviennent des cartes à jouer). Puis le film glisse vers une confusion encore plus grande quand l'absurde est présenté comme naturel. La petite fille disparue est à la fois présente et absente, le tueur est à la fois condamné et libéré, la sœur du préfet est à la fois morte et vivante.

Les moines jouent au poker avec des scapulaires, les policiers agissent comme des enfants, les bourgeois se cachent pour manger mais défèquent en public. Le film ridiculise les institutions sociales, mais pour éviter la récupération Bunuel pousse la contestation jusque dans la forme. Le rêve devient réalité, par exemple quand Foucauld brandit la lettre que lui a livrée le facteur dans son rêve. Et la réalité devient fausse, par exemple quand la sœur morte du préfet se mêle de lui téléphoner.

Dans son film le plus surréaliste, Bunuel démontre la relativité des choses et surtout l'arbitraire des conventions sociales. Il ajoute que sous les contraintes sociales, il y a des conditionnements éternels (des pulsions sexuelles et des pulsions destructrices), donc une part de mystère. La seule liberté serait celle de l'écriture, d'un anticonformisme qui permettrait une nouvelle façon de voir les choses. En faisant complètement éclater les structures narratives, *Le Fantôme de la liberté* élabore un discours encore plus libre et plus dérangeant que celui des films précédents.

Mais cette célébration du hasard (organisé) ne pouvait aller plus loin, au risque de tomber dans l'arbitraire total. Bunuel se fait d'ailleurs tuer (comme figurant) dans ce qui devait être son dernier film. Il s'amusera encore une fois avec *Cet obscur objet du désir* (1977), poussant le dédoublement jusqu'à faire jouer le même personnage par deux actrices. Mais personne n'osera par la suite revendiquer l'héritage de Bunuel.

L'abstraction chez Godard

Entre *À bout de souffle* (1959) et *Pierrot le Fou* (1965), Jean-Luc Godard réalise dix films qui s'appuient chacun sur un genre particulier pour dénoncer les tares de la société moderne et continuellement remettre en question le langage cinématographique. Alors que certains cinéastes trouvent l'inspiration dans leur enfance, Godard a la nostalgie d'un certain cinéma. Il rend hommage à la comédie musicale avec *Une femme est une femme* (1961), détourne le film de guerre avec *Les Carabiniers* (1962), s'intéresse à la science-fiction avec *Alphaville* (1965), en plus de faire un film sur le cinéma avec *Le Mépris* (1963).

Dans les films de cette période, les personnages sont toujours écrasés par la société et ses mécanismes d'aliénation. Dans *Vivre sa vie* (1963) et *Une femme mariée* (1964), Godard soutient déjà que la société moderne nous oblige plus ou moins à vivre selon les lois de la prostitution, dont celle « d'être payé pour un travail qu'on n'a pas envie de faire ». Cette thématique de la prostitution envisagée comme l'aboutissement logique de la consommation effrénée reviendra dans plusieurs films des cycles suivants. Mais ce qui caractérise le mieux Godard reste la recherche d'un nouveau langage cinématographique.

À l'ère du doute, le langage classique ne peut plus rendre compte de la complexité de l'univers. Godard propose en quelque sorte l'anarchie du langage pour témoigner de l'anarchie des idées. Les personnages de ses films se parlent entre eux, s'adressent au metteur en scène, interpellent les spectateurs. Dans *Pierrot le Fou,* les figurants fournissent même leur curriculum vitæ. Godard mélange la fiction et la réalité du tournage car les frontières entre le cinéma et la vie sont constamment remises en question.

C'est surtout contre l'illusion de la réalité au cinéma que Godard part en guerre. Il utilise les bruits et les couleurs non pour la vraisemblance mais pour leur valeur expressive. Il refuse la logique narrative par le collage et la fragmentation. Son cinéma fourmille de photos et d'affiches, de cartes postales et de pochettes de disques, de titres de livres et d'enseignes au néon, de pages de magazines et de reproductions de peintures. Il collectionne les références littéraires, cite ses intellectuels préférés et rend hommage aux cinéastes qu'il aime, jusqu'à les utiliser (Fritz Lang dans *Le Mépris* ou Samuel Fuller dans *Pierrot le Fou*).

Godard ne conçoit pas le cinéma comme la traduction d'une idée préexistante mais plutôt comme une forme créatrice de pensée, comme un instrument de connaissance. Il improvise, colle bout à bout ce qui lui passe par la tête, ramasse ses lectures de la veille et ses préoccupations du moment, bref, filme sa conscience en marche. Ses films se présentent comme des brouillons, inachevés, en train de se faire. C'est en réduisant graduellement l'importance du récit qu'il a permis au langage de créer sa poésie.

Avec *Pierrot le Fou,* il en est arrivé à un film complètement subjectif. Les choses sont vues à travers la conscience de Pierrot, selon l'importance qu'il leur accorde. Il s'agit de la suite d'*À bout de souffle* dans la mesure où Godard reprend le même personnage Michel Poiccard-Pierrot le Fou, toujours décroché de la société et indifférent à ses lois. Dépourvu de toute idée de réussite et incapable de compromis, il est encore amoureux de Patricia-Marianne, une arriviste qui a peur de ce marginal et qui finalement le trahira encore une fois.

Le film raconte une histoire policière pleine de trous et dans laquelle Pierrot n'a rien à faire ; il raconte aussi une histoire d'amour ou plutôt la dégradation d'un couple; et il fait éclater ces deux intrigues par des digressions, des citations ou des commentaires de Godard. Nous retenons surtout que Pierrot rêve d'absolu et vit à travers ses lectures tandis que Marianne vit dans l'instinct et accepte tous les compromis. Ce décalage se répercute dans la mise en scène puisque chaque élément du langage vaut pour lui-même au lieu de contribuer à l'impression de réalité.

Des dialogues lus ou improvisés, des commentaires déplacés ou cérémonieux, une musique qui commence et s'arrête n'importe où, des écritures au néon le plus souvent incomplètes, des scènes en aparté et des appels au spectateur détruisent le film en tant que drame et le présentent en tant que film. Godard se permet autant le délire que la dérision. Par exemple, dans la scène du cocktail, les hommes parlent de leur auto et les femmes de la mode avec uniquement des slogans publicitaires, et les femmes ont les seins nus, probablement comme les hommes aimeraient les voir.

Proche de l'écriture automatique, le montage élabore un récit en train de se détruire par les digressions (la complainte de Raymond Devos), par des citations (« nous sommes les enfants de Marx et Coca-Cola »), par des effets faciles (une peinture de Picasso par-dessus une scène de bagarre). Godard fragmente la réalité en plans très courts et pratique des ellipses très longues (nous retrouvons les personnages beaucoup plus loin et vêtus autrement), pour élaborer un découpage comme celui de la bande dessinée. Ce qui constituerait des faux raccords dans une continuité dramatique n'en sont pas dans une mosaïque d'instantanés à percevoir globalement.

Alors que les premiers films proposaient un récit à travers lequel Godard élaborait un discours, l'intrigue de *Pierrot le Fou* s'avère occasionnelle et sans importance. Par la suite, Godard entreprendra un cycle de cinq films sans intrigue. Le discours en arrive à exister par lui-même, dans un cinéma à la recherche de son langage. *Masculin-Féminin* et *Made in USA* en 1966, *Deux ou trois choses que je sais d'elle* et *La Chinoise* en 1967 se présentent comme des enquêtes sociologiques et débouchent sur *Week-end* (1967), modèle de film conceptuel ou théorique. *Week-end* illustre les idées de Godard sur la bêtise du Français moyen. Il n'y a aucun récit, seulement la juxtaposition de saynètes hétéroclites : une engueulade dans un terrain de stationnement, l'apparition de Saint-Just et d'Emily Brontë, le discours de deux éboueurs immigrés… Les personnages n'ont par ailleurs aucune psychologie, n'étant que de simples portraits-robots. Ils incarnent ou représentent le Bourgeois, l'Étudiant, le Noir, l'Arabe, le Patron. Cette façon de classifier les choses s'étend à des notions comme la Culture, la Civilisation, le Tiers Monde.

Godard pratique le grossissement. Il ramasse dans un travelling d'environ dix minutes tous les embouteillages automobiles des routes de France. Il pousse la logique à l'extrême. Les bourgeois sont indifférents aux accidents de la route jusqu'à détrousser les blessés et les cadavres. La relation de couple est uniquement basée sur l'intérêt, à un point tel que la femme en arrive à dévorer (au sens propre) son mari.

Quand le personnage de la femme raconte ses ébats érotiques, elle est filmée en soutien-gorge, découpée en contre-jour devant une fenêtre, et la musique s'avère trop forte pour que le récit soit intelligible. Ce qui permettra aux critiques d'élaborer tout un discours sur l'écran dans l'écran (et le refus de faire participer le spectateur). Quand un pianiste joue une sonate de Mozart dans une cour de ferme, devant quelques paysans impassibles, la scène est filmée dans un lent panoramique de 360° qui d'ailleurs recommence dans le sens inverse. Et les critiques parleront avec ferveur de la mort de la culture (et de l'encerclement).

À vouloir décrire le chaos de la société de consommation par des films chaotiques, Godard cultive souvent la confusion. Plus intelligent que conscient, il préfère le paradoxe à l'analyse. Il s'attaque au langage classique, croyant détruire la bourgeoisie parce qu'il détruit son langage, mais ses ruptures servent surtout à nous rappeler notre statut de spectateur. Cette volonté de forcer le public à réfléchir l'amènera, avec *Le Gai Savoir* (1968) et *Vent d'Est* (1969), à se passer du récit et à pratiquer de façon systématique un cinéma de la déconstruction (à la Dziga Vertov).

CHAPITRE 5

LES CINÉMAS NATIONAUX
DANS LES ANNÉES 1960

LES ANNÉES 1960 ne sont pas uniquement celles du cinéma moderne. En plus de donner toute son importance au cinéma d'auteur, la Nouvelle Vague française a quand même eu le mérite de créer un cinéma de la spontanéité. Les cinéastes ont d'abord tourné en 35 mm avec son postsynchronisé mais, profitant de la révolution technologique engendrée par le cinéma direct entre 1958 et 1962, ils tournent par la suite en 16 mm avec son synchrone. Et leur plaisir évident de filmer contribue à l'émergence de « nouvelles vagues » partout dans le monde.

Dans certains pays industrialisés, il y a une renaissance du cinéma. Plus ou moins en marge du cinéma commercial ou contestant de l'intérieur le cinéma conçu comme pur divertissement, certains cinéastes proposent des films personnels, préoccupés par la réalité et d'une esthétique particulière. L'étroitesse du marché national (ou la concurrence du cinéma hollywoodien) conditionne les budgets de production mais les meilleurs cinéastes savent s'exprimer en composant avec cette contrainte économique.

Il y a d'abord le Free Cinema britannique qui prolonge le documentarisme des années 1930. Préconisant un cinéma utile, John Grierson tournait déjà en extérieur des sujets issus du quotidien avec des « acteurs » non professionnels. Le Free Cinema s'intéresse lui aussi à des personnages d'ouvriers, avec leur accent régional, aux prises avec les problèmes sociaux de l'époque. En réaction contre l'académisme du cinéma britannique et en particulier contre les films à grand déploiement de David Lean, cette nouvelle vague se distingue par son esthétique réaliste et par ses personnages non réconciliés avec leur condition sociale.

Saturday Night and Sunday Morning (Karel Reisz, 1960) raconte de façon simple la révolte d'un ouvrier d'usine qui compense les frustrations de son travail aliénant par les beuveries du samedi soir et les parties de pêche du dimanche matin. *A Taste of Honey* (Tony Richardson, 1961) s'intéresse à une fille enceinte et à la tendresse que lui manifeste un homosexuel, tout en évitant le mélodrame par l'authenticité des conditions de vie matérielles dans une ville de province.

The Loneliness of the Long Distance Runner (Tony Richardson, 1962) raconte comment un jeune issu d'un milieu pauvre se retrouve en maison de correction. Il pourrait gagner une course de fond et mériter les grâces du directeur de la prison mais il décide de perdre pour éviter d'être récupéré. Il refuse de collaborer avec « cette classe qui enseigne la morale à ceux qui travaillent pour l'enrichir ». *This Sporting Life* (Lindsay Anderson, 1963) s'intéresse à un travailleur de la mine qui pense échapper à sa condition par le sport, mais le rugby a beau être un sport d'équipe, la réalité reste celle du chacun pour soi.

Cinéastes avant d'être sociologues, les Britanniques privilégient le jeu des comédiens, la richesse des dialogues et la simplicité de la mise en scène. Par exemple, *Four in the Morning* (Anthony Simmons, 1965) se contente de filmer quelques anecdotes se déroulant la même nuit, mais il réussit à traduire la complexité des sentiments par une photographie impressionniste et un découpage proche du documentaire.

Attentifs à la vie quotidienne des ouvriers et des exclus, les cinéastes anglais dénoncent l'abrutissement du travail et les difficultés financières, la solitude et la dépersonnalisation engendrées par la société moderne, l'hypocrisie des traditions et des conventions sociales. Bien sûr, cette révolte reste individuelle et anarchique. La prise de conscience ne débouche pas encore sur l'analyse politique et les solutions collectives.

Avec *The Knack and How to Get It* (Richard Lester, 1965), *Morgan, a Suitable Case for Treatment* (Karel Reisz, 1966) et *If...* (Lindsay Anderson, 1968), les cinéastes passent du réalisme au surréalisme social. Récupérés par l'industrie hollywoodienne, ils iront tourner aux États-Unis tandis que les étrangers viendront tourner en Angleterre, tant Roman Polanski ou Jerzy Skolimowski que Joseph Losey ou Stanley Kubrick. Et le réalisme social devra se réfugier à la télévision, dans les années 1970, avec Ken Loach, Mike Leigh et Stephen Frears.

En Suède, une nouvelle génération de cinéastes revendique un cinéma sociologique, en réaction contre le cinéma métaphysique de Bergman. Souvent romanciers, ils explorent la réalité de leur pays avec des films épurés comme *Ole dole doff* (Jan Troell, 1966) ou des essais controversés comme *Je suis curieuse (jaune)* et *Je veux tout savoir (bleu)* aux couleurs du drapeau national (Vilgot Sjöman, 1967-68).

Les cinéastes suédois réaliseront une trentaine de films par année et se feront connaître surtout par leurs reconstitutions historiques. Les mises en scène les plus impressionnistes serviront à exprimer des préoccupations politiques, dans les films de Bo Widerberg, *Elvira Madigan* (1967), *Adalen 31* (1969) et *Joe Hill* (1971). Ou encore le diptyque de Jan Troell, *Les Émigrants* et *Le Nouveau Monde* (1971-72).

Il y a aussi le jeune cinéma allemand qui se démarque du cinéma de consommation courante, il y a le nouveau cinéma italien qui reprend la tradition du néoréalisme pour l'enrichir, il y a le cinéma québécois qui profite d'une révolution culturelle pour s'inventer un cinéma (le direct) et participer à la quête d'une identité nationale, et aussi d'autres cinémas qui chacun à leur façon témoignent de leur société respective. Nous reviendrons à ces trois cinémas particuliers un peu plus loin.

Dans les pays socialistes (ou les démocraties populaires), il y a aussi renaissance du cinéma. La culture étant considérée comme un service public, l'État subventionne un cinéma libre de toute contrainte économique et encourage l'expression « artistique », dans les limites de la politique officielle. Les cinéastes exercent donc leur talent à contourner la censure idéologique. Ils pratiquent la métaphore, l'allusion, le sous-entendu, bref un langage tout en subtilités qui finalement propose une certaine critique du socialisme.

Par exemple, de 1963 à 1969, la nouvelle vague tchécoslovaque produit environ 35 films par année, contournant la censure par l'humour et le succès (tous remporteront des prix dans divers festivals internationaux). Contrairement aux cinéastes des autres pays de l'Est, les réalisateurs tchécoslovaques sont jeunes, donc peu préoccupés par le passé. Engagés face à l'actualité et ses contradictions, ils s'intéressent surtout à la jeunesse, à son apprentissage de la vie, son insertion dans la société.

La commande officielle exigeait des films au service du régime, avec des personnages voués à l'édification du communisme, selon des formules manichéennes et avec pathos obligatoire. La nouvelle génération de cinéastes ne remet pas en question le socialisme (du moins pas ouvertement) mais affirme la primauté de l'individu. Elle contribue à la révolution du seul fait qu'elle se préoccupe du bonheur individuel et de la dignité humaine.

Les cinéastes s'émancipent donc de toute propagande politique et choisissent la description sincère de la réalité tchécoslovaque. Sans aucun moralisme, ils fournissent des films intimistes basés sur l'observation des gestes et des comportements les plus simples, avec des personnages qui semblent toujours saisis sur le vif. Ces cinéastes sont tous passés par le documentaire. Milos Forman, par exemple, travaille avec des non-comédiens, les aide à improviser leur propre rôle et leur colle la caméra au visage… pour finalement dénoncer le contexte dans lequel ils s'inscrivent.

Dans *L'As de pique* (Forman, 1963), un jeune homme qui est chargé de pincer les voleurs dans une boutique s'avère incapable de s'adapter aux normes des adultes et refuse de ressembler à son père. Dans *Les Amours d'une blonde* (Forman, 1965), le Parti fait venir une compagnie de réservistes pour distraire les travailleuses d'une usine et ainsi faire augmenter la production de chaussures. Une d'entre elles tombe amoureuse du pianiste de la fête et débarque chez les parents de celui-ci.

Qu'il s'agisse des désillusions d'un partisan communiste confronté au triomphe des médiocres dans *Du courage pour chaque jour* (Evald Schorm, 1964) ou de la misère existentielle en pays socialiste dans *Éclairage intime* (Ivan Passer, 1965), les cinéastes explorent la réalité dans ce qu'elle a de dérisoire. Chacun à leur façon. *La Fête et les Invités* (Jan Nemec, 1966) élabore une allégorie sur la docilité et le totalitarisme tandis que *Les Petites Marguerites* (Vera Chytilova, 1966) raconte comment tromper son ennui par les provocations les plus surréalistes.

Le cinéma tchécoslovaque exerce sa lucidité avec un certain détachement, avec ce relativisme placide des gens qui en ont vu d'autres. Cette résistance au mensonge officiel par l'humour et le gros bon sens fait d'ailleurs partie du caractère national : « Lorsqu'on vit dans le monde de Kafka, il faut d'abord cultiver l'humour et la tendresse. » Héritiers du brave soldat Chveik, les personnages sont toujours coincés entre leurs aspirations individuelles et ce qu'on attend d'eux.

Trains étroitement surveillés (Jiri Menzel, 1966) illustre très bien cet humour grinçant. Pendant l'occupation allemande, les gens d'une petite gare s'arrangent pour vivre malgré tout. Ils devraient collaborer avec l'envahisseur, mais ils sont préoccupés par autre chose. Ils vivent dans un univers absurde, celui des malentendus. Milos est partagé entre sa mission officielle (surveiller avec zèle) et son projet personnel (faire l'amour avec Masa). Il souffre d'éjaculation précoce et sollicite l'aide de tout le monde.

Alors qu'il devrait travailler à la grandeur du Troisième Reich, il essaie de se suicider à cause d'une fille. Finalement il réglera son problème sexuel avec une résistante qui transporte justement une bombe. Son collègue Hubricka s'étant amusé à estampiller les fesses d'une fille et pendant que la mère de celle-ci les montre à tous pour dénoncer la lubricité, Milos meurt à la place de son collègue, au moment où il allait enfin connaître l'amour.

Entre le tragique et le ridicule, cette histoire (la seule au passé) sur l'individu qui ne contrôle pas son destin propose surtout un humanisme désabusé et une métaphore sur l'occupation russe (contemporaine au film). D'ailleurs l'invasion soviétique de 1968 forcera les cinéastes à l'exil, sinon au silence. La normalisation des années 1970 effacera même les films du Printemps de Prague dans les manuels d'histoire.

Le cinéma hongrois produit une vingtaine de films par année, partagés entre l'inquiétude existentielle et la réflexion sur l'histoire du pays. *Remous* (Istvan Gaal, 1963) et *L'Âge des illusions* (Istvan Szabo, 1964) racontent le passage de la jeunesse à la maturité. *Les Vertes Années* (Istvan Gaal, 1967) et *La Pierre lancée* (Sandor Sara, 1967) explorent aussi l'apprentissage de la vie, mais pendant les années 1950.

Jours glacés (Andras Kovacs, 1966) interroge le fascisme hongrois à travers le procès de militaires qui ont noyé 3 000 personnes sous les glaces du Danube, en 1943. *Dix Mille Soleils* (Ferenc Kosa, 1967) aborde le stalinisme en se demandant comment des militants sincères et généreux ont pu en arriver là… *Amour* (Karoly Makk, 1970) transpose aussi la dénonciation dans le passé (pour déjouer la censure).

Les films hongrois s'interrogent, à travers l'histoire nationale, sur le sens des responsabilités, la marge de liberté et le prix des compromis. Ils se distinguent par leur maturité, mais surtout par la beauté des images et l'ampleur de la mise en scène. En plus du cinéma direct de Judit Elek et du cinéma féministe de Marta Meszaros, ce cinéma fournit une nouveauté artistique radicale, aussi bien avec des films proustiens comme *Sindbad* (Zoltan Huszarik, 1971) qu'avec les films chorégraphiques de Jancso.

Il y a aussi le cinéma polonais avec, entre autres films, *Le Couteau dans l'eau* (Roman Polanski, 1962) et *La Barrière* (Jerzy

Skolimowski, 1966). Il y a le cinéma yougoslave avec *Une affaire de cœur* (Dusan Makavejev, 1967) ou *J'ai même rencontré des Tziganes heureux* (Aleksandar Petrovic, 1967). Il y a le cinéma russe avec *L'Enfance d'Ivan* (Andreï Tarkovski, 1962) ou *Le Premier Maître* (A. Mikhalkov-Kontchalovski, 1965). Sans oublier les cinémas des autres démocraties populaires et ceux des républiques soviétiques.

Dans les pays des autres continents, il y a renaissance ou naissance de cinémas. Les révolutions politiques du début des années 1960, dans ce qu'on appelait le tiers monde, amèneront la création de cinémas de libération à Cuba et en Algérie. Certaines dictatures d'Amérique latine connaîtront un certain libéralisme et permettront l'émergence d'un cinéma national. Quelques pays arabes verront apparaître un cinéma de conscientisation en marge du cinéma commercial. Mais les cinémas des pays en voie de développement sont à la merci tant des contraintes économiques (les lois du marché) que des contraintes idéologiques (les abus de la censure).

Le Brésil des années 1960 s'invente un cinéma aussi original que pauvre, le Cinema Novo. Celui-ci se préoccupe d'abord des paysans misérables du Nordeste, explorant la réalité du sous-développement de façon à en dégager les enjeux politiques. Les cinéastes passent graduellement du réalisme à la parabole pour élaborer un cinéma de plus en plus baroque, à la mesure de la culture brésilienne, plutôt exaltée.

Vidas Secas (Nelson Pereira Dos Santos, 1963) montre l'envers du miracle économique à travers l'errance d'une famille misérable dans le sertao en pleine sécheresse. *Os Fuzis* (Ruy Guerra, 1963) raconte la révolte d'un camionneur contre une situation absurde : des soldats défendent des réserves de vivres contre des paysans du Nordeste affamés par la sécheresse.

Le Dieu noir et le Diable blond (Glauber Rocha, 1963) montre l'errance d'un couple de paysans dans le sertao, entre la violence gratuite des *cangaceiros* et les superstitions ou les prophéties des mystiques.

Le premier film adopte un style néoréaliste, le second élabore une allégorie plutôt lyrique, et le troisième propose une mise en scène proche de l'opéra, aussi délirante que baroque. Il sera question alors de « tropicalisme ». Il s'agirait d'une esthétique de la crasse et de la sueur qui obligerait à élargir la notion de réalisme à celui d'imaginaire social ou d'inconscient collectif. Glauber Rocha illustre très bien cette résistance au cinéma hollywoodien par le recours à la tradition culturelle brésilienne.

Le Dieu noir et le Diable blond était un *romanceiro,* une complainte racontée et chantée selon laquelle le mysticisme religieux et la violence du banditisme constituaient, pour les paysans du sertao, les deux seules échappatoires à la réalité. *Antonio das Mortes* (1969) ne dénonce plus ces solutions mais les considère comme des mythes fondateurs de la culture populaire, pouvant s'inscrire dans un projet de libération politique.

L'action du film se situe en 1938 mais pourrait aussi bien se dérouler en 1968, car il ne s'est rien passé entre-temps pour améliorer la situation. Rocha montre la lutte entre un propriétaire terrien aveugle et le peuple affamé mais apathique. Le commissaire fait de la politique, les mercenaires exercent une violence réactionnaire, le professeur et le prêtre s'abstiennent d'intervenir. Antonio, le tueur de *cangaceiros*, prend conscience de la misère du peuple et change de camp. Le cinéaste transforme la réalité à laquelle il fait référence (celle de José Rufino) pour proposer une hypothèse.

L'allégorie se termine par la mort du commissaire, du propriétaire terrien et du *cangaceiro*. Antonio se retrouve seul sur la route asphaltée du Brésil moderne, laissant au professeur, au prêtre, à la Sainte et au Noir les armes pour continuer la lutte. Rocha refuse l'objectivité. Il veut surtout provoquer et mobiliser. Il hisse donc la réalité au niveau de la fable. Pour être compris par ceux à qui il parle, il a recours à la culture populaire, aux chansons folkloriques et aux danses connues dans le sertao.

Le cinéaste filme le duel entre Antonio et Corisco comme un ballet et l'assassinat du commissaire comme un opéra ; il s'inspire du *romanceiro* portugais pour chanter les exploits d'Antonio contre Lampiao. Il s'appuie sur les poèmes narratifs chantés à la versification rigide, les défis ou joutes oratoires (qui constituent la seule formation politique des paysans), puis il élabore tout un cérémonial… jusqu'à l'hystérie du massacre final. Le film reste très proche de la représentation théâtrale, construit sous forme de tableaux comme les « mystères » du moyen âge chrétien.

Par un revirement fictif d'Antonio, Rocha détourne le western brésilien et propose une certaine critique de la réalité. L'ambiguïté est celle de l'artiste qui veut conscientiser son peuple, un peu comme Antonio fait la révolution à la place des paysans. D'ailleurs les cinéastes brésiliens vont continuellement théoriser leur démarche dans des manifestes. Et ils iront en ville questionner le rôle de l'intellectuel face au pouvoir. Dans *Le Défi* (Paulo César Saraceni, 1965), *Terre en transe* (Glauber Rocha, 1967) et *Les Héritiers* (Carlos Diegues, 1969), les cinéastes font leur autocritique. Mais à partir de 1970, la censure devient de plus en plus sévère.

Il y a un cinéma d'après la révolution à Cuba avec *Lucia* (Humberto Solas, 1968), *Mémoires du sous-développement* (Gutiérrez Alea, 1968) ou *La Première Charge à la machette*

(M.O. Gomez, 1969). Il y a aussi les cinémas bolivien et argentin, les cinémas algérien et égyptien, le cinéma japonais et d'autres. Le manifeste politique de Getino et Solanas *Vers un troisième cinéma* (en 1969) ralliera beaucoup de ces cinémas dans la décennie suivante.

Il ne s'agit pas ici de répertorier tous les cinémas nationaux surgis dans les années 1960, mais plutôt de souligner des convergences dans leurs préoccupations. Ils veulent tous échapper à l'image touristique ou folklorique à laquelle les condamne le cinéma hollywoodien ou officiel. Chaque pays réclame un imaginaire non fabriqué par d'autres, une image de lui-même dans laquelle il se reconnaît. Pour témoigner de leur réalité respective, les cinémas nationaux articulent chacun une approche particulière du réalisme au cinéma, selon sa culture et ses traditions.

Pour se démarquer d'un cinéma voué au simple divertissement, le cinéma anglais témoigne de la révolte des jeunes et des ouvriers dans un réalisme proche du documentaire. Pour contourner la censure dans un cinéma qui n'a pas à se préoccuper du public, la vague tchèque s'acharne à dévoiler la réalité quotidienne, résistant au mensonge officiel par l'humour. Pour l'aventure d'exister à travers la pauvreté et la nécessité de s'engager, le cinéma brésilien décrit la réalité la plus misérable de façon à proposer un certain enseignement, celui de la décolonisation.

Il ne s'agit pas de faire des films britanniques, tchécoslovaques ou brésiliens… à l'américaine. Tout en refusant le folklore, le cinéma national propose aussi un point de vue particulier en dehors des conventions, une certaine réflexion en dehors des stéréotypes. Car comprendre la réalité, c'est d'abord reconnaître les clichés. Il ne s'agit pas de faire des films violents, racistes et sexistes mais plutôt de susciter une prise de conscience de la violence, du sexisme et du racisme.

En effet, le cinéma réaliste cherche moins à exploiter le spectacle de la violence qu'à en trouver les causes, proposer des solutions ou du moins expliquer qu'elle est souvent plus culturelle que naturelle. Dans les sociétés d'abondance, le cinéma aura tendance à se préoccuper de la violence de la pauvreté et de l'exclusion. Dans les pays socialistes, il s'intéresse plutôt à la violence des privilèges et de la censure. Dans les pays en développement, il se préoccupe de la violence de la faim et de l'ignorance.

Nous verrons qu'à l'instar du cinéma italien, certains cinémas nationaux ont profité de l'héritage du néoréalisme. Ne se contentant pas de décrire un phénomène social, ils se sont permis de l'inscrire dans un contexte plus large, d'en éclairer les causes, de fournir des interprétations et même des analyses de la réalité. Nous verrons qu'à l'instar du cinéma québécois, d'autres sont passés par l'expérience du direct pour enrichir la fiction. Ils ont donné priorité à la réalité filmée, quitte à réajuster le scénario, et ont eu recours à la parole vécue. Ils ont contribué à la reconnaissance d'une culture distincte à travers une prise de la parole populaire.

L'accent du Québec ou de la Suisse, celui de Manchester ou de la Sardaigne, la langue bretonne ou la langue d'oc permettront aux gens d'exister autrement que traduits dans la langue officielle. *Ukamau* (Jorge Sanjines, 1966) parlera le quéchua de la Bolivie et *Le Mandat* (Ousmane Sembène, 1968) parlera le ouolof du Senégal. Cette quête d'authenticité débouchera sur des façons de filmer ou de raconter en accord avec la mentalité ou la culture des gens concernés. L'ampleur des nouvelles cinématographies se vérifiera sur tous les continents dans les années 1970.

Persona d'Ingmar Bergman

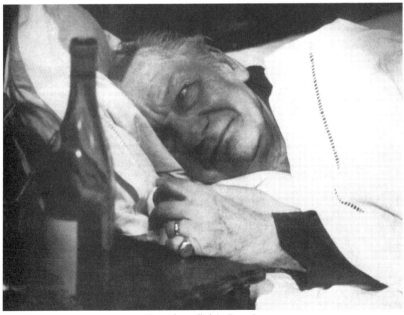

Providence d'Alain Resnais

Pierrot le Fou de Jean-Luc Godard

Le Charme discret de la bourgeoisie de Luis Bunuel

Antonio das Mortes de Glauber Rocha

Psaume rouge de Miklos Jancso

Family Life de Ken Loach

L'Affaire Mattei de Francesco Rosi

LES ANNÉES 1970
ET LE CINÉMA SOCIAL

CHAPITRE 6

LES ANNÉES 1970 :
DU CINÉMA SOCIAL
AU CINÉMA ENGAGÉ

EN 1970, Truffaut réalise *Domicile conjugal,* Chabrol réalise *Le Boucher,* Rohmer *Le Genou de Claire,* Sautet *Les Choses de la vie* et Deville *L'Ours et la Poupée.* Les cinéastes de la Nouvelle Vague font maintenant un cinéma de qualité, de facture très classique. Leurs drames psychologiques (ou policiers) constituent le cinéma officiel, le cinéma de consommation courante. Plutôt embourgeoisé, ce cinéma se donnera bonne conscience en créant un nouveau genre, le film de politique-fiction (un peu comme on dit un film de science-fiction).

La tradition du cinéma réaliste s'est effacée dans les années 1960 dans l'inconscience politique de la Nouvelle Vague et les expériences formelles du cinéma moderne. Bien sûr, il se fait quelques films sociaux comme *La Vieille Dame indigne* (René Allio, 1964), *Les Cœurs verts* (Édouard Luntz, 1965) et *O Salto* (Christian de Chalonge, 1966) mais la réalité préoccupe surtout les cinémas nationaux. Il faut attendre après Mai 68 pour que s'affirme une tendance générale au film sociologique.

Une nouvelle génération de cinéastes admet la fonction sociale du cinéma et l'utilise pour proposer une façon de vivre autrement. Ils empruntent à la vague politique de l'époque l'objectivité des rapports socio-économiques et à la contre-culture, l'irrationalité de la conscience humaine. En tenant compte aussi bien de l'organisation sociale que de l'affectivité des individus, ils rêvent d'éliminer l'aliénation dans tous les aspects de la vie : travail, famille, culture, sexualité, éducation.

Les cinéastes de cette période restent en effet convaincus que le cinéma peut contribuer à transformer la société, à modifier les mentalités. Ils reconnaissent d'abord et avant tout que le *quotidien* est politique, ils contestent la société et ses institutions jusqu'à proposer *l'utopie,* revendiquent l'émancipation des *femmes,* aussi de nouvelles relations avec les *minorités,* et reconsidèrent complètement l'*Histoire.* Ces révolutions minuscules rendent compte de l'effervescence du cinéma, sans l'épuiser.

Le cinéma d'après Mai 68 participe ainsi à une révolution culturelle et propose un certain socialisme romantique. Il se préoccupe de la politique du *quotidien,* de l'interdépendance de l'individu et de la société. Dans *Nous nous sommes tant aimés* (Ettore Scola, 1974), des individus qui ont voulu changer la société constatent que c'est finalement celle-ci qui les a transformés. Dans le film soviétique *Je demande la parole* (Gleb Panfilov, 1976), une femme, maire d'une grande ville, cherche à concilier sa vie de famille et son engagement politique.

Le Temps de vivre (Bernard Paul, 1969) dénonce les heures de travail supplémentaires au détriment de la vie familiale, tandis que *Pierre et Paul* (René Allio, 1969) montre l'aspect dérisoire d'une vie uniquement consacrée au travail. *Camarades et Coup pour coup* (Marin Karmitz, 1969 et 1971), *Adalen 31* et *Joe Hill* (Bo Widerberg, 1969 et 1970) et même *Norma Rae* (Martin Ritt, 1979) explorent les luttes ouvrières et le syndicalisme. *Il pleut toujours où c'est mouillé* (J. Daniel Simon, 1974) se préoccupe même des conflits politiques chez les paysans. *They Shoot Horses, Don't They?* (Sydney Pollack, 1969) dénonce les faux espoirs entretenus chez les pauvres par les concours et les marathons pendant la Crise. *La Classe ouvrière va au paradis* (Elio Petri, 1971) illustre comment la société de consommation sacrifie le bonheur humain. Par contre *Moi, y en a vouloir des sous* (Jean Yanne, 1973) ridiculise les patrons, les ouvriers, les syndicalistes et les féministes sous prétexte que « le monde est fait d'imbéciles qui se battent contre des demeurés pour sauvegarder une société absurde ».

La société est surtout malade des préjugés et des idées reçues. *Scènes de chasse en Bavière* (Peter Fleischmann, 1968) illustre comment les gens d'un village se protègent par la méchanceté de ceux qui sont différents tandis que *La Coupe à dix francs* (Philippe Condroyer, 1974) dénonce la bêtise de la majorité silencieuse qui pousse un jeune homme au suicide pour une histoire de cheveux longs. *Padre padrone* (Paolo et Vittorio Taviani, 1977) trace l'itinéraire d'un berger dans une société fondée sur l'autorité et la propriété des individus eux-mêmes.

Insatisfaits des conditions de vie imposées par la société (de consommation), certains individus y renoncent et tentent de vivre l'**utopie.** Les hippies, entre autres dans *Alice's Restaurant* (Arthur Penn, 1969) ou *Harold and Maude* (Hal Ashby, 1972), remettent en question les valeurs qui les étouffent et font l'apprentissage du bonheur. De *Charles mort ou vif* (Alain Tanner, 1969) aux *Petites Fugues* (Yves Yersin, 1979), le cinéma suisse propose beaucoup de ces utopistes, plus âgés et plus conscients, en rupture avec une société trop confortable. Le personnage des années 1970 est souvent porteur d'un projet libertaire. *La Vraie Nature de Bernadette* (Gilles Carle, 1972) propose une bourgeoise en fuite qui organise une commune hippy à la campagne. Elle prend soin des orphelins, des vieillards et des infirmes jusqu'à ce qu'on la prenne pour une sainte. Dans *Qu'est-ce que tu veux, Julie?* (Charlotte Dubreuil, 1976), une communauté réinvente aussi la vie de couple, la liberté sexuelle, l'éducation des enfants, jusqu'à ce que Julie fasse l'amour avec un immigré qui ne faisait pas partie du groupe.

Bof (Claude Faraldo, 1971) propose la cellule familiale comme communauté sexuelle où l'ouvrier est heureux de partager sa femme avec son père. *Themroc* (Faraldo, 1972) pousse la fable encore plus loin. Le personnage quitte son travail pour s'enfermer dans son appartement transformé en caverne. Il se contente de grogner et finit par manger littéralement les policiers qu'il fait rôtir embrochés comme des poulets.

Pourquoi pas! (Coline Serreau, 1977) présente enfin l'utopie comme naturelle. Un trio abolit les rôles de domination et de dépendance, pratique toutes les possibilités d'accouplement et se consacre entièrement au principe de plaisir. Malheureusement, il sera toujours plus facile d'élaborer des hypothèses de mondes possibles que d'analyser les conditions nécessaires à la transformation des mentalités. Et le film *Hair* (Milos Forman, 1979) relève déjà de la nostalgie.

Il sera donc plus révolutionnaire de remettre en question les stéréotypes masculins/féminins et d'adopter une perspective ***féministe.*** Beaucoup de cinéastes de cette époque ont refusé de réduire la femme à la passivité sexuelle et au dévouement domestique. Ils ont dénoncé son oppression sur le plan personnel (la femme étant souvent réduite aux seules émotions), sur le plan social (le terrorisme de la beauté et de la mode), sur le plan politique (salaires inférieurs et chômage), etc.

Le cinéma sera transformé en profondeur par l'arrivée de femmes cinéastes, dans plusieurs pays, et particulièrement en France où elles réaliseront 75 longs métrages de fiction entre 1968 et 1978. *La Femme de Jean* (Yannick Bellon, 1974), *Adoption* (Marta Meszaros, 1975), *Le Temps de l'avant* (Anne Claire Poirier, 1975), *L'une chante, l'autre pas* (Agnès Varda, 1977), *Le Second Éveil* (Margarethe von Trotta, 1977), *Diabolo menthe* (Diane Kurys, 1978), *Girlfriends* (Claudia Weil, 1978), etc., ont contribué à la métamorphose du couple et à la recherche de l'égalité. Ils ont souvent été les premiers films de réalisatrices qui ont fourni par la suite des œuvres magistrales.

Les films de femmes ne sont pas nécessairement féministes, entre autres ceux de Nadine Trintignant ou de Marguerite Duras. Certains films relèvent du défoulement : *La Fiancée du pirate* (Nelly Kaplan, 1969) raconte l'histoire d'une sorcière qui se venge des hommes les plus demeurés, quitte à faire passer la libération de la femme par la prostitution. Les films de Lina Wertmuller rivalisent même de misogynie avec *Calmos* (Bertrand Blier, 1976). Par ailleurs, le féminisme consiste moins à montrer des hommes faibles que des femmes capables d'action et d'imagination. Il est inutile de renverser les stéréotypes, sinon pour en montrer le ridicule, comme *Prenez-le en homme, madame* (Les Sœurs rouges, 1975).

D'ailleurs les films féministes ne sont pas nécessairement au service du Mouvement de libération de la femme (MLF). Mais la plupart des films de femmes se distinguent par leur sensibilité, proposent de vivre autrement et participent à une révolution aussi importante que quotidienne. Les films de Yannick Bellon, Margarethe von Trotta, Coline Serreau, Marta Meszaros, Anne Claire Poirier témoignent d'abord pour eux-mêmes. Ce sont des films comme les autres. Mais ces cinéastes engagées en tant que femmes contribuent à la libération des mentalités.

Dans sa volonté de transformer les mentalités, le cinéma des années 1970 se préoccupe aussi des **minorités.** L'époque voit apparaître les premiers films sur les homosexuels, entre autres *Le Droit du plus fort* (R.W. Fassbinder, 1975) et *Nighthawks* (Peck et Hallam, 1978). L'homosexualité s'inscrira même à l'intérieur du cinéma de genre avec *La Conséquence* (Wolfgang Petersen, 1977) ou *Immacolata et Concetta* (Salvatore Piscicelli, 1979), pour finalement être présentée au grand public avec *La Cage aux folles* (Édouard Molinaro, 1978).

L'immigration engendre le cinéma le plus prolifique et aussi le plus articulé dans sa démarche, mêlant le documentaire et la fiction selon les besoins. *Soleil Ô* (Med Hondo, 1970), *Mektoub?* (Ali Ghalem, 1970) et *Les Ambassadeurs* (Naceur Ktari, 1976) illustrent les difficultés d'intégration des Noirs et des Arabes en France tandis que *Élise ou la Vraie Vie* (Michel Drach, 1971) et *Dupont Lajoie* (Yves Boisset, 1974) dénoncent la bêtise et la violence raciste.

Ce cinéma explore l'immigration, entre autres, des Italiens en Suisse dans l'excellent *Pain et Chocolat* (Franco Brusati, 1973), celle des Marocains en Allemagne dans *Tous les « autres » s'appellent Ali* (R.W. Fassbinder, 1973), des Turcs en Suède dans *Le Bus* (Bay Okan, 1976), des Mexicains aux États-Unis dans *Alambrista* (Robert Young, 1978) et même des Japonais au Brésil dans *Gaijin* (T. Yamasaki, 1980).

Les enfants dans *L'Enfance nue* (Maurice Pialat, 1969) et *Kes* (Ken Loach, 1970), les vieillards dans *Les Dernières Fiançailles* (Jean Pierre Lefebvre, 1973) et *Home Sweet Home* (Benoît Lamy, 1973), les malades mentaux dans *Family Life* (Ken Loach, 1972) et *Fous à délier* (Marco Bellochio, 1973), les pauvres dans *Affreux, sales et méchants* (Ettore Scola, 1975), les prostituées dans *Prostitute* (Tony Garnett, 1980), les handicapés, les prisonniers, bref tous les marginaux et les minoritaires ont droit à des films remarquables. Le cinéma des années 1970 est sociologique et son engagement n'oublie personne.

Une constante très importante du cinéma d'après Mai 68 reste la reconsidération de l'*Histoire.* Les cinéastes veulent moins illustrer le passé que l'expliquer. Ils s'intéressent davantage aux minorités agissantes qu'aux personnages célèbres et dénoncent les versions officielles, quand ils n'en proposent pas une relecture (politique). *L'Homme de marbre* (Andrzej Wajda, 1976) enquête sur un héros du travail d'après-guerre… pour montrer les séquelles du stalinisme dans la Pologne des années 1970.

La Soudaine Richesse des pauvres gens de Kombach (Volker Schlöndorff, 1970) raconte comment des paysans du début du XIXᵉ siècle tentent à plusieurs reprises de dévaliser le fourgon des impôts mais se retrouvent victimes de leur misère. Et *Une journée particulière* (Ettore Scola, 1977), sur la complicité entre deux exclus du fascisme italien, une ménagère et un intellectuel, nous rappelle que le film historique des années 1970 s'est préoccupé surtout des humbles et des oubliés.

Le film *Johnny Got His Gun* (Dalton Trumbo, 1971) dénonce l'absurdité de la guerre. Celle-ci sera abordée sous l'angle particulier de la fascination pour le nazisme avec *Portier de nuit* (Liliana Cavani, 1973), sinon celui de la collaboration,

avec *Lacombe Lucien* (Louis Malle, 1974). De façon moins
ambiguë, *L'Affiche rouge* (Frank Cassenti, 1974) réhabilite les
immigrés qui ont participé à la Résistance. Et *La Victoire en
chantant* (Jean-Jacques Annaud, 1976) se moque des Français
qui ont transposé la Première Guerre mondiale dans les colo-
nies d'Afrique.

Le cinéma français ose enfin aborder la guerre d'Algérie,
avec *Avoir vingt ans dans les Aurès* (René Vautier, 1971), *R.A.S.*
(Yves Boisset, 1974) et *La Question* (Laurent Heynemann,
1976), des films qui s'avèrent moins des reconstitutions fidèles
que des relectures politiques. Véritables modèles, *Que la fête
commence* (Bertrand Tavernier, 1975) ainsi que *Le Juge et l'Assassin* (Tavernier, 1976) reconstituent la Régence et la France de la
fin du XIXᵉ siècle, surtout pour élaborer une réflexion sur
l'exercice du pouvoir à l'époque concernée.

Les Camisards (René Allio, 1970) présente la révolte protestante des Cévennes au début du XVIIIᵉ siècle beaucoup plus
comme une lutte de classes qu'une guerre de religions. *Moi,
Pierre Rivière, ayant égorgé ma mère, ma sœur et mon frère* (René
Allio, 1976) dresse le procès de la Normandie de 1830 à travers
celui d'un jeune paysan. *La Cecilia* (Jean-Louis Comolli, 1976)
reconstitue l'expérience vécue à la fin du siècle dernier par des
anarchistes italiens qui ont créé une commune socialiste en
pleine Amazonie.

Ces films privilégient les pauvres et les obscurs, élaborent
une écriture du quotidien et pratiquent un cinéma des men-
talités, proche de la Nouvelle Histoire et de l'école des
Annales. En utilisant les journaux des maquisards dans *Les
Camisards,* les mémoires du prisonnier dans *Moi, Pierre
Rivière,* les écrits du fondateur de la commune dans *La
Cecilia,* les cinéastes redonnent la parole à ceux qui l'avaient

perdue. En plus d'exercer une distanciation à laquelle nous consacrerons un chapitre. Le cinéma d'après Mai 68 participe à la volonté générale de tout remettre en question. La politique du quotidien, les projets utopistes, les revendications féministes, la reconnaissance des minorités et la Nouvelle Histoire ont la prétention de transformer les consciences, pour collaborer à un monde meilleur. Parce qu'il réfléchit sur sa fonction sociale ou artistique, le cinéma en arrive à proposer une certaine attitude face à la réalité, un comportement libertaire face au travail, la sexualité, l'éducation.

Nous vérifierons comment ce cinéma *sociologique* utilise les capacités expressives du cinéma pour mieux connaître la réalité. Puisque la standardisation du langage entraîne celle des émotions, certains cinéastes renouvelleront la mise en scène réaliste en admettant qu'il s'agit plus d'une question de morale que de technique. Ils refuseront le simple naturalisme pour arriver à exprimer leur point de vue sur la réalité.

Nous verrons que le cinéma de *politique-fiction* d'après Mai 68 a permis de dégager des éléments de réflexion sur l'efficacité idéologique des films. Il ne suffit pas de dénoncer ou de contester pour faire du cinéma de conscientisation. Le cinéma peut être politique, mais à certaines conditions. Son discours doit s'inscrire dans la réalité, aider à comprendre les rapports de force et surtout éviter la récupération par le spectacle.

Bien sûr, le cinéma sociologique ou politique doit s'appuyer sur les mécanismes de la fiction (récit/personnages/mise en scène). Les cinéastes les plus engagés sauront maîtriser ces mécanismes pour mesurer l'impact de leurs films. Nous verrons comment ils pratiquent une triple *distanciation,* issue d'une réflexion rigoureuse sur le langage cinématographique.

L'engagement du cinéma des années 1970 s'explique par les transformations de la société. D'ailleurs la mobilisation de Mai 68 a aussi engendré un autre cinéma, un cinéma d'intervention politique. Ce cinéma militant ou de gauche s'est donné pour objectif de « développer la conscience de classe du travailleur et de le sensibiliser à certaines formes de lutte ». Il explore les failles du système capitaliste, en général les grèves et les guerres, en prenant parti pour les ouvriers et les peuples.

Il propose des films-outils pour inculquer une culture politique, pour exhorter à une action précise. Sous prétexte de donner la parole aux opprimés et d'assurer l'authenticité du document, le cinéma militant abuse souvent du reportage. Refusant la notion de spectacle (aliénante) et la notion de beauté (réactionnaire), il élabore des discours avec cartons et slogans, selon l'orientation politique du collectif de production.

Ce cinéma vise surtout l'exemplification de luttes ouvrières, comme dans *Week-end à Sochaux* (Bruno Muel, 1971). Souvent circonstanciels, ces films se justifient par un nouveau type de consommation. *Histoire d'A* (Charles Belmont et Marielle Issartel, 1973), sur le droit à l'avortement, aurait été vu par 200 000 spectateurs pendant son interdiction. Les cinéastes exercent parfois l'analyse comme dans *La Spirale* (Armand Mattelart, 1976) ou *Le Fond de l'air est rouge* (Chris Marker, 1977). Mais le cinéma d'intervention privilégie l'approche documentaire tandis que notre projet ne concerne que le cinéma de fiction.

CHAPITRE 7

UN CINÉMA RÉALISTE

LE RÉALISME au cinéma a souvent été confondu avec le néoréalisme italien de l'après-guerre. À cause de sa pauvreté, le néoréalisme doit filmer dans la rue, sans acteur professionnel et sans équipement perfectionné. Il restitue le temps réel et s'intéresse aux choses elles-mêmes, quitte à pratiquer la lenteur. Libéré de la dramatisation par le découpage, des effets de transition et de la rhétorique du suspense, il se consacre à la description minutieuse de la réalité.

Sans aucun effet visuel et avec un montage réduit à sa plus simple expression, le néoréalisme prend le risque de faire confiance à l'image. *Rome, ville ouverte* (Roberto Rossellini, 1945), *Paisa* (Rossellini, 1946), *Le Voleur de bicyclette* (Vittorio De Sica, 1948) et *Umberto D* (De Sica, 1951) voulaient témoigner de la misère engendrée par la ruine de l'économie nationale et décrire avec la plus grande exactitude possible des situations ou des phénomènes visibles. Cette façon d'en rester à la simple imitation relève d'ailleurs du naturalisme.

L'esthétique du néoréalisme italien reste proche de celle du documentaire ou des actualités. Ce cinéma s'avère tellement simple qu'il accentue le regard sur les choses ; il en arrive même à se définir par l'intérêt de ce qu'il filme, par son sujet. Il fait étalage de la misère pour émouvoir, au nom d'un certain humanisme, et au risque de tomber dans le misérabilisme. L'engagement exige aussi de chercher les causes de cette pauvreté, de l'expliquer pour ne pas s'y complaire, même de proposer des issues.

Dans les années 1960, les cinéastes italiens qui se réclament du néoréalisme ne se contentent plus de décrire honnêtement les choses. Ils deviennent critiques dans la mesure où ils essaient de comprendre les raisons de ce qu'ils décrivent. *Bandits à Orgosolo* (Vittorio De Seta, 1961), *Il posto* (Ermanno Olmi, 1961) et *Salvatore Giuliano* (Francesco Rosi, 1961) s'apparentent encore à des actualités reconstituées mais qui viseraient à interpréter la réalité. D'ailleurs nous illustrerons cette démarche dans le chapitre consacré à Rosi.

Beaucoup de cinémas nationaux chercheront aussi à témoigner de leur société le plus simplement possible, mais ils profiteront en plus des nouvelles techniques du documentaire et de la télévision. Car le cinéma vivra à la fin des années 1950 une mutation esthétique très profonde, celle du cinéma direct. Grâce à des innovations techniques commandées par les documentaristes, le direct surgit pour nourrir la télévision naissante et influencer en profondeur le cinéma de fiction.

La caméra 16 mm devient portable parce que de plus en plus légère et équilibrée sur l'épaule (l'*Éclair*). La sensibilité accrue de la pellicule en noir et blanc dispense du matériel d'éclairage encombrant. De moins en moins bruyante, la caméra peut enfin être couplée à un magnétophone aussi petit que fidèle (le *Nagra*). On peut donc tourner en équipe réduite, presque n'importe où. Mais c'est le synchronisme du son et de l'image qui modifiera surtout le cinéma non fictionnel.

Le documentaire traditionnel, avec sa caméra absente et son commentaire explicatif en voix off, proposait en quelque sorte un regard extérieur sur la réalité. Le reportage, avec sa caméra présente et le son synchrone, tente de ne pas trop modifier le comportement des gens filmés, sous prétexte d'objectivité. Le cinéma direct, avec sa caméra participante, proposera plutôt une mise en situation susceptible de fournir une « parole vécue ». Les gens filmés participent ainsi à la création du film.

Le cinéaste filme le discours des gens de l'Île-aux-Coudres en leur faisant revivre l'expérience de la pêche au marsouin dans *Pour la suite du monde* (Perrault et Brault, 1963). Il compose avec le cabotinage d'un enfant ou des situations imprévisibles, comme la mort de la cuisinière de l'institut, dans *Warrendale* (Allan King, 1967). Il utilise l'occupation étudiante à l'université de Moncton pour expliquer l'imposture du biculturalisme dans *L'Acadie l'Acadie?!?* (Brault et Perrault, 1971).

Le cinéma direct laisse la parole aux gens, filmés en action pour plus de naturel, et restitue à la projection ce qui s'est passé au tournage. Bien sûr il s'agit pour le cinéaste de s'exprimer à travers la parole des autres… sans les trahir. Cela exige une communication et même plus : une complicité entre le cinéaste et les intervenants. Il ne s'agit plus de faire un film sur les gens, mais avec eux. Comme le cinéaste s'exprimera surtout au montage, la technique du direct suppose une morale, une éthique.

Ce qui nous intéresse ici, c'est uniquement l'influence du direct sur le cinéma de fiction. Celle-ci s'exerce dans la démarche des cinéastes. Elle se conjuguera de diverses façons : du documentaire fictionnalisé à la fiction documentée en passant par le faux direct. Certains cinéastes se contenteront d'emprunter la technique, donc les clichés du reportage journalistique : caméra portée à l'épaule, son inaudible, regards dans l'objectif, faux raccords, montage heurté, etc. Le Britannique Peter Watkins reste le maître de cette reconstitution des maladresses du reportage. Il organise des fictions au conditionnel, en les présentant comme des documentaires. Il imagine une attaque nucléaire sur l'Angleterre dans *The War Game* (1966), la récupération d'une idole de la chanson dans *Privilege* (1967), la répression contre de jeunes contestataires dans *Punishment Park* (1971) et il réalise d'autres films qui valent surtout pour l'efficacité de leur thèse.

D'autres adopteront plutôt l'esprit du direct. Ils expérimenteront de nouvelles relations avec la réalité. Ils apprendront à se passer du découpage technique, à profiter de certaines situations ou à les provoquer, à accepter une certaine improvisation contrôlée, bref à concevoir la fiction autrement. John Cassavetes, par exemple, tourne avec ses amis et sa femme Gena Rowlands des situations où la caméra traque les émotions en durée réelle. Dans *Faces* (1968), *Husbands* (1970), *Minnie and Moskowitz* (1971), *A Woman Under the Influence* (1974), il filme comme s'il faisait du jazz, jusqu'à confondre la fiction et la réalité du tournage.

Le cinéma québécois des années 1960 a justement expérimenté le passage du direct à la fiction dans toutes ses étapes. *À tout prendre* (Claude Jutra, 1963) emprunte les techniques du direct pour tracer le portrait d'un jeune bourgeois, avec commentaires à la première personne. Claude et Johanne revivent leur histoire d'amour et improvisent un jeu de la vérité. Proche de la Nouvelle Vague française par son narcissisme, le film vaut surtout pour le plaisir de filmer qu'il manifeste.

Le Chat dans le sac (Gilles Groulx, 1964) a recours lui aussi à l'improvisation et pratique un collage au service des dialogues. Mais il s'agit du portrait d'un intellectuel qui réfléchit sur la question nationale, sur la place qu'il a dans la société, sur sa confusion idéologique. Les interrogations de Claude (et de Barbara) sont celles d'une génération et témoignent de la mutation des valeurs dans le Québec de la Révolution tranquille.

Si *La Vie heureuse de Léopold Z* (Gilles Carle, 1965) détourne un documentaire sur le déneigement pour faire le portrait d'un ouvrier aussi dépassé que sympathique, c'est *Entre la mer et l'eau douce* (Michel Brault, 1967) qui intègre le mieux les expériences du direct. Le film s'inspire de son interprète pour raconter l'exil d'un chansonnier de la campagne à la ville, et témoigner de l'artiste québécois partagé entre les valeurs du passé et la modernité. Et les amours de Claude et Geneviève sont vécues à travers l'intensité émotive de certaines scènes improvisées.

Dans les années 1970, le cinéma québécois apprend à raconter des histoires tout en assumant l'héritage du direct. *Mon oncle Antoine* (Claude Jutra, 1971), *Le Temps d'une chasse* (Francis Mankiewicz, 1972), *Les Ordres* (Michel Brault, 1974), etc., contribuent à l'album de famille national. Ces films sociologiques échappent au journalisme en créant des personnages qui vivent par eux-mêmes et constituent un milieu humain, parce que le cinéma réaliste reste d'abord du cinéma.

Le problème du réalisme au cinéma s'avère pourtant simple : on ne peut pas se contenter de présenter les faits, sous prétexte qu'ils peuvent parler par eux-mêmes. La réalité brute ne signifie rien et ne suscite au cinéma que l'indifférence. À quoi sert-il de reproduire minutieusement la réalité si ce n'est pour la rendre plus significative (ou plus intéressante)? Sinon autant se fier aux caméras de surveillance. D'ailleurs le réalisme n'est pas une question de technique : un reportage peut se révéler complètement falsifié tandis qu'une fiction peut mériter le qualificatif d'authentique.

Il est donc question d'une démarche idéologique. Le film doit organiser les événements et leur représentation de façon à proposer une prise de position, à tenir un discours. Il doit aider le spectateur à voir ce qu'il ne remarque pas dans la quotidienneté, et à mieux comprendre. Maintenant convaincus que l'objectivité est un piège, les cinéastes visent à expliquer le contexte social et fournissent délibérément leur point de vue.

Par exemple, *La Bataille d'Alger* (Gillo Pontecorvo, 1966), emprunte à l'esthétique du documentaire son image granuleuse en noir et blanc, ses plans larges, sa caméra mobile, ses acteurs inconnus. Ce procès-verbal de la guerre d'Algérie pratique l'honnêteté jusqu'à donner parfois raison aux colonialistes. Mais sa générosité ne l'empêche pas d'être critique. Cette reconstitution illustre, à travers l'itinéraire d'Ali la Pointe, la nécessité d'être reconnu comme un être humain, et à travers celui du colonel Mathieu, l'engrenage de la violence. Le film dépasse l'anecdote pour élaborer une réflexion sur les stratégies de décolonisation révolutionnaires.

Tandis que certains cinéastes réalisent des fictions documentées ou selon l'esprit du cinéma direct, d'autres se préoccupent plutôt de détourner les conventions du cinéma de consommation. En effet, le réalisme au cinéma se définit non pas en fonction de la réalité mais par rapport aux modes de représentation cinématographiques. Quand les conventions deviennent trop évidentes, certains cinéastes cherchent à les dénoncer, à les contourner, à les saborder pour retrouver plus de réalisme.

Le néoréalisme italien, par exemple, se définit contre le cinéma de son époque ; il abandonne certaines conventions pour en créer d'autres. Il se caractérise par le tournage en décors naturels (plutôt qu'en studio), par le recours à des acteurs non professionnels (plutôt que des comédiens chevronnés) et par des histoires très simples (plutôt que spectaculaires). Pourtant les non-comédiens doivent quand même jouer, ne serait-ce que leur propre rôle. Et on recommence le tournage autant de fois que nécessaire puisque les acteurs seront doublés en studio par des professionnels.

Le réalisme consiste donc à se démarquer de la standardisation, à chercher une plus grande impression de réalité par rapport au cinéma traditionnel, par rapport aux films de genre. Par exemple, le cinéma allemand a toujours eu ses *Heimatfilms,* avec ses hommes en culottes courtes, ses femmes aux gros seins dans des corsages de dentelle et sa nostalgie de la vie idyllique à la campagne. Comme Edgar Reitz répondra à la série américaine *Holocaust* (1978) avec la série *Heimat* (1983), certains cinéastes allemands ont cherché à retracer la réalité sous le folklore.

Scènes de chasse en Bavière (Peter Fleischmann, 1968) s'intéresse aux activités les plus quotidiennes (surtout le travail aux champs) d'un village typique avec ses paysages de cartes postales (et musique de folklore). Structuré autour de la messe du dimanche et de la fête champêtre, en passant par les cochonnailles, le film est tourné en noir et blanc et les gens du village jouent leur propre rôle. La caméra semble filmer les choses telles quelles et donne la même importance à tous les personnages.

Abram revient au village. On ne sait rien de lui et, jamais privilégié par le découpage, il ne suscite aucune identification de la part du spectateur. Homosexuel, il dérange cette communauté fermée, mais il pourrait aussi bien être juif ou communiste. Il ne sert qu'à révéler la bêtise des autres. Les gens du village le ridiculisent, comme ils se moquent des travailleurs immigrés, de la veuve qui veut se remarier trop vite, de l'infirme qui serait entretenu, du déficient mental, de la prostituée.

Et le film passe de la simple description à l'analyse du fascisme quotidien. L'escalade de l'agressivité s'exerce par la médisance et la raillerie. Tous se surveillent les uns les autres. Le film met en perspective que, pour garder sa place dans le troupeau, toute victime doit diriger l'attention sur quelqu'un de plus faible qu'elle. L'homosexuel harcèle le simple d'esprit qui frappe la prostituée qui se venge sur les cochons. Chacun trouve un bouc émissaire sur qui il fera retomber sa propre dégradation.

Les gens du village demandent à la mère d'Abram de renier son fils, pour ensuite mieux le lui reprocher, méthode qui a d'ailleurs servi dans les camps de concentration nazis. La spirale de la violence pousse finalement le plus faible au meurtre, et les autres à la délation. La démonstration tire ici sa force de ce que les gens ordinaires ne sont pas présentés comme des monstres, mais justement comme des gens ordinaires.

La fiction ne doit pas se fonder sur un discours et des concepts, mais sur des personnages qui ont besoin de leur complexité humaine pour exister. Ceux-ci doivent être riches de leurs rapports avec les autres, ils doivent vivre leur imaginaire et s'inscrire dans une symbolique. Plus qu'une simple fonction narrative, le personnage devient ce qu'il est... D'ailleurs la fiction reste plus vraie que la nature car elle ramasse le réel, évite la dispersion et donne un sens aux temps morts.

Ken Loach et certains cinéastes s'inspirent de l'esprit du direct pour raconter leurs histoires, tandis que Bertrand

Tavernier et d'autres prennent la contrepartie des conventions pour mieux interpréter la réalité. Nous verrons que vouloir être utiles (ou intelligents) ne les empêche pas plus de faire du cinéma que s'ils ne visaient que le simple divertissement. Leur démarche s'inscrit dans une réflexion rigoureuse sur le réalisme au cinéma. Ils redonnent en effet au réalisme sa vraie définition, celle d'un regard sur la réalité, d'une approche particulière.

Le réalisme chez Ken Loach

Le Britannique Ken Loach a réalisé une douzaine de films (et autant de téléfilms) fidèles à l'idéologie et à l'esthétique du *Free Cinema*. Ouvertement de gauche, il assume ses convictions politiques et son parti pris pour les déshérités. Il soutient aussi que le réalisme, « c'est simplement une certaine manière de raconter des fictions qui vous donne le sentiment de regarder quelque chose de crédible et d'authentique ».

Dans *Poor Cow* (1967), une jeune fille-mère dont l'ami est en prison apprend que « le bonheur, ça se bricole ». Dans *Kes* (1970), un enfant de famille pauvre et désunie trouve sa dignité dans le dressage d'un faucon. Loach crée déjà des personnages emblématiques d'une classe sociale sans tomber dans la caricature et compense la gravité des situations par l'humour. Et il approfondira encore sa conception du réalisme au cinéma.

Family Life (1972) raconte les difficultés d'une adolescente traitée d'irresponsable par ses parents parce qu'elle quitte continuellement ses emplois abrutissants. Son père est un ouvrier récompensé pour son assiduité et sa mère est d'une respectabilité exemplaire. Inconsciemment, Janice refuse ces modèles de comportement et dans sa révolte, revendique le droit d'être fille-mère. Ses parents la font avorter, puis la confient à la psychiatrie qui prendra le relais de la répression. Comme Janice résiste à la normalisation, on en fait une schizophrène de laboratoire.

Ken Loach situe l'action dans un contexte précis (une banlieue de Londres), utilise des personnages qui jouent leur propre rôle jusqu'à improviser certaines scènes (celle du souper reste inoubliable) et construit toute une dramatisation sur les dialogues les plus quotidiens (« nous savons ce qui est bien pour toi »). Il semble se contenter de filmer minutieusement les troubles de comportement de Janice à travers sa situation familiale.

Le film s'apparente au documentaire, particulièrement durant la première heure, constituée de rencontres entre le docteur Donaldson et la famille de Janice. Ces « entrevues » (surtout sur la sexualité des parents) servent à nous renseigner sur les antécédents et les causes du problème. L'anti-psychiatre laisse parler Janice et semble l'aider à retrouver son autonomie. Mais la chronologie des faits rapportés s'avère complètement brisée, comme si elle était au service d'un discours.

La deuxième heure élimine Mike Donaldson pour confier Janice à la psychiatrie officielle (et à la police). Le docteur Carswell parle à la place de l'adolescente, la traite par chimiothérapie et lui administre des électrochocs. Traumatisée par ce système encore plus répressif, Janice tombe dans la déviance, avant d'être définitivement enfermée. Le film propose donc (comme David Cooper et R.D. Laing) que les psychoses ne sont pas des maladies mais des refoulements imposés par la société.

Les personnages secondaires contribuent à la démonstration. Barbara (la sœur) a la fonction de dire aux parents des vérités qui défoulent les spectateurs ; d'ailleurs elle reproduit les rôles car ses deux filles sont aussi muettes que Janice. Tim (l'ami) a surtout celle d'expliquer que les familles sont des camps de dressage, et qu'on ne peut rien y faire… sauf peindre les jardins en bleu. Ken Loach a un peu sacrifié ici sa liberté au profit d'une thèse, mais *Family Life* vaut surtout pour son intensité émotionnelle.

Ses autres films seront partagés entre la vérité des personnages et la critique des institutions. Par exemple, *Looks and*

Smiles (1981) offre la description chaleureuse d'un adolescent à la recherche d'un emploi, que sa relation avec une fille force à devenir adulte, ce qui s'avère plus difficile en période de récession économique. Au contraire, *Hidden Agenda* (1990) tient du thriller politique dans sa dénonciation des crimes par les services secrets britanniques en Irlande du Nord. Mais le plus souvent, Loach choisira de faire un cinéma sensible et son désir de fiction se vérifie dans sa trilogie sur les victimes du libéralisme économique.

Il y conserve toujours un style proche du reportage, avec une caméra qui talonne les personnages ; il tourne en équipe légère, utilise la lumière naturelle, évite tout embellissement esthétique ; il mêle les acteurs et les non-professionnels et leur permet une improvisation contrôlée. Avec ses scénaristes, il mène une étude approfondie sur le milieu concerné, élabore une structure rigoureuse et s'attache à des personnages aussi attendrissants que maladroits. Parce que nous suivons des individus dans un contexte pris sur le vif, la fiction prend le dessus sur le procès-verbal.

Riff Raff (1991) raconte le quotidien d'un chômeur écossais qui travaille au noir sur un chantier de rénovation d'immeubles, avec des Anglais, des Irlandais, des Africains. En marge de la société dont ils constituent pourtant l'économie souterraine, ces clandestins travaillent sous des noms d'emprunt, n'ont pas de compte bancaire et risquent continuellement leur vie. Le délabrement de leur condition sociale trouve sa métaphore dans les rats aperçus au début et à la fin du film.

Encore une fois, le cinéaste évite d'accabler ses personnages puisque la réalité s'en charge. Ces ouvriers pratiquent un humour de survie qui leur permet d'éviter le désespoir. Ils ont des réserves d'énergie et d'ironie, et se moquent même du discours militant traditionnel. Stevie fera l'apprentissage de la fierté. La description minutieuse de la vie sur les chantiers s'apparente au documentaire par la rapidité du montage et Loach rend hommage à la solidarité naturelle des laissés-pour-compte.

Raining Stones (1993) raconte le quotidien d'un chômeur de Manchester qui survit en vendant du mouton dérobé dans les champs, en nettoyant les égouts ou en volant du gazon. Il décide que sa fille aura la robe de première communion dont elle rêve. Il se met donc à la merci d'un usurier, qu'il tue accidentellement. Il se confesse au prêtre de la paroisse, celui qui maintient un certain tissu social, et se fait dire d'oublier ça…

La situation économique est dure : les usuriers dépouillent les mères de famille de leurs prestations sociales et les travailleurs sociaux se demandent s'il y a une alternative socialiste. Bob doit renier ses principes pour survivre. Il s'endette. Autant d'argent pour une fête aussi courte peut paraître absurde… mais nécessaire quand il s'agit de retrouver sa dignité. Loach ne juge pas ses personnages, il se contente de les aimer.

Ladybird, Ladybird (1994) raconte l'endurance d'une femme à qui on enlève ses quatre enfants nés de pères différents. Les services sociaux les lui enlèvent dès qu'elle les met au monde sous prétexte qu'elle n'est pas en mesure de les élever car elle vit dans un univers de violence. Elle trouve enfin un certain équilibre auprès d'un homme compréhensif… mais deux enfants leur seront encore enlevés.

Le film commence par la première rencontre entre Maggie et Jorge. Après des flash-back de plus en plus longs dans le passé de Maggie (et dans sa subjectivité), la seconde partie du film s'attache au présent du couple. Il s'agit beaucoup plus d'un film d'amour que d'un plaidoyer contre l'assistance sociale (les fonctionnaires ne sont pas des monstres, ils font leur travail). Et c'est un film d'amour d'autant plus violent que Maggie est minée par la colère, et qu'elle exerce celle-ci contre ses enfants.

Loach a reconstitué une réalité qu'il rend lisible par la rigueur de sa recherche, effectuée avant le tournage. Il colle à ses personnages et nous fait partager leurs sentiments de l'intérieur. Les comédiens absorbent leur personnage et Cissy Rock (Maggie) pique des crises non prévues au scénario. Elle ne savait pas, dans la dernière scène, qu'on allait encore lui enlever son bébé. La violence est ressentie plus que montrée, et le cinéaste cherche des effets de réel là où d'autres cultivent le spectaculaire.

Réalistes par la clarté de leur discours, les films de Ken Loach racontent d'abord des histoires et s'intéressent surtout aux rapports humains. Comme ses personnages tentent d'échapper aux conditionnements de la société, c'est cette résistance qui devient politique, par tout ce qu'elle révèle. Dans un de ses derniers films, *Land and Freedom* (1995), il raconte un épisode de la guerre d'Espagne en prenant parti pour les prolétaires de tous les pays, trahis non pas par les ennemis fascistes mais par leurs camarades communistes. À contre-courant du cinéma des années 1990 parce qu'il parle de solidarité internationale, Loach s'acharne à recréer un peu de réel pour nous renvoyer à d'autres guerres actuelles.

Le réalisme chez Tavernier

Refusant l'esbroufe des cinéastes de la Nouvelle Vague, Bertrand Tavernier s'est appuyé sur la tradition en ayant recours aux scénaristes Aurenche et Bost, tant calomniés par Truffaut. Cinéaste classique, il sait raconter des histoires sans renoncer à sa vision des choses. Il réalise un cinéma populaire (avec des vedettes) tout en exerçant un regard critique et son réalisme consiste surtout à expérimenter des approches nouvelles. Comme Renoir et Becker, il rassure le spectateur par les conventions de genres familiers mais en arrive toujours à les détourner, à proposer quelque chose d'inattendu, à fournir une certaine réflexion.

Tavernier est un artiste avant d'être un polémiste. Il évite le psychologisme (universel) dans la mesure où il cherche à expliquer ses personnages par leurs conditions de vie. Ils s'inscrivent toujours dans une réalité et une époque particulières. Ses films proposent des individus en révolte contre le pouvoir de l'État ou de la justice, celui de la bourgeoisie ou des médias, des usages ou des convenances. Les personnages de Tavernier ne sont pas nécessairement engagés, mais confrontés à des changements sociaux, ils sont forcés de mesurer leur responsabilité, de concilier préoccupations individuelles et aspirations collectives.

Pour son premier film, *L'Horloger de Saint-Paul* (1974), le cinéaste adapte un roman de Simenon et politise le meurtre en le présentant comme un acte de protestation. Ce film policier ne montre ni le crime, ni l'arrestation, ni aucune scène spectaculaire, mais se trouve détourné sur la démarche d'un homme modeste qui se rapproche de son fils sans lui faire la morale. La justice et la presse veulent dépolitiser le meurtre en crime passionnel mais Bernard refuse de jouer le jeu et sera condamné à vingt ans de prison.

La prise de conscience de l'horloger l'amène d'abord à brûler un feu de circulation et finalement à se déclarer, en plein tribunal, solidaire de son fils assassin. Le personnage en question viendra par la suite raconter son bonheur à Laurence, dans *Une semaine de vacances* (1980), chronique intimiste sur les doutes d'une enseignante de Lyon qui finit par comprendre qu'elle ne pourra se passer de son métier.

Le Juge et l'Assassin (1976) s'inspire de l'affaire Vacher (Bouvier dans le film) qui tua douze enfants entre 1893 et 1898. Tavernier avoue être parti d'un fait divers pour effectuer une enquête sur les ressorts cachés de toute une époque. Le magistrat Rousseau utilise ce tueur en série pour faire avancer sa carrière politique. Il le fait condamner non pas comme meurtrier (il aurait été déclaré fou) mais comme anarchiste.

Le film fait le procès des institutions qui ont forgé ce monstre (l'Église, l'armée, la prison, l'hôpital) et surtout illustre la complicité entre la justice et la médecine contre la classe paysanne. Tavernier explique l'Histoire en décrivant des comportements de classe. À travers le portrait complexe d'un anarchiste de Dieu, il explore les contradictions d'une époque jusqu'à inverser les rôles du titre.

Coup de torchon (1981) retrouvera en quelque sorte le personnage de Bouvier dans celui de Lucien Cordier, « shérif » d'un village d'Afrique occidentale française à la fin des années 1930. Il se venge de toutes les humiliations dont il a été victime. Ange exterminateur, il prend plaisir à tuer et réussit à justifier ses crimes. L'ambiguïté du personnage permet une interprétation différente à chaque visionnement et la catharsis embarrasse d'autant plus le spectateur qu'il y prend plaisir.

Tavernier alterne entre les films historiques et les films actuels. S'il aborde tous les sujets, sa thématique reste cohérente et sa réflexion très rigoureuse. Comme il a réalisé une vingtaine de films qui se recoupent, nous nous contenterons d'illustrer sa démarche à travers ses deux films les plus significatifs, du moins en ce qui concerne son réalisme critique. Le premier des deux nous servira d'ailleurs comme modèle de distanciation.

Des enfants gâtés (1977) pourrait se résumer à partir du personnage de Bernard, le cinéaste qui se retire pour écrire son scénario. Bousculé par Anne, il finit par s'engager dans une lutte de locataires et son scénario s'en trouve enrichi. On pourrait aussi voir le film à partir d'Anne, l'amoureuse qui remet tout en question, aussi bien sa relation avec Bernard que la lutte des locataires. Ou encore partir du sujet principal, la situation des locataires à Paris en 1977 et la description d'une foule de problèmes : travail et chômage, solitude et désespoir, etc.

Pour rendre compte de la complexité du film, il faut dire que ces trois intrigues sont tributaires les unes des autres, et complétées par trois sous-intrigues qui s'entrecroisent. Il y a les scènes du coscénariste ironique qui ne s'implique jamais et qui commente ce que le film aurait pu être, les scènes de la femme de Bernard, dont le travail de psychologue surplombe les intrigues pour en dégager des rapprochements, et enfin les scènes de la ville de Paris, qui se greffent partout pour fusionner tous les thèmes.

Des enfants gâtés se commente lui-même d'abord par le scénario de Bernard qui se nourrit de la réalité et propose la mise en abîme du film dans le film, mais aussi par le travail de la psychologue sur la non-communication des enfants « gaspillés » qui sert de métaphore au film. Et surtout, il s'explique par les digressions et les commentaires, les histoires et les citations, le texte de Thibon et celui d'Aujard, la chanson de

Caussimon et le poème de l'enfant au couteau, qui interprètent ce qui se passe.

Il n'y a aucune dramatisation particulière. Le film donne la même importance à tous les problèmes du quotidien. La séance de diapositives, le suicide de la locataire ou la scène sur l'apprentissage de la jouissance ne changent pas l'intrigue mais permettent d'installer la réalité partout à travers l'histoire. Les péripéties importent moins que la peinture des comportements affectifs, sociaux, professionnels (et leur confrontation). Selon Tavernier, la structure vise continuellement « à faire un travelling arrière qui recadre le sujet dans tout son contexte ».

Le film ne se réduit pas à la seule vision du personnage principal et la réalité existe par elle-même, autonome. D'ailleurs le film se démultiplie dans plusieurs personnages qui se permettent de vivre chacun leur intrigue. La structure kaléidoscopique force le spectateur à établir lui-même les relations entre les diverses thématiques, surtout que les situations s'emboîtent les unes dans les autres de façon à toujours revenir à la réalité. Il est en quelque sorte obligé de faire le même travail que le metteur en scène, d'être conscient de ce qu'on lui raconte.

La comédienne Christine Pascal et la réalisatrice Charlotte Dubreuil ont collaboré au scénario, ce qui explique un peu le point de vue féministe. Par la suite, la femme deviendra la conscience des films de Tavernier. De par sa position dans la société, elle prend plus facilement la mesure des injustices, et le cinéaste nous fera partager sa prise de conscience. D'ailleurs les hommes sont ce qu'ils apprennent des femmes.

La Vie et rien d'autre (1989) n'a rien du film de guerre avec éloge du courage et spectacle de la violence. Il raconte l'obstination du commandant Dellaplane à identifier les disparus de la guerre de 1914-1918 pendant qu'on cherche le cadavre d'un soldat inconnu (un Français de souche) pour le vénérer (sous l'Arc de triomphe). Alors que Dellaplane refuse l'oubli et cherche la vérité, le Pouvoir tente de récupérer la tragédie et de glorifier la guerre dans le culte des disparus.

Le film raconte aussi l'enquête d'une bourgeoise qui souhaite apprendre la mort de son mari et celle d'une institutrice qui espère retrouver son fiancé vivant… sans qu'elles sachent qu'il s'agit du même homme. Mais le film n'a rien à voir avec l'éternelle histoire d'amour sur fond de guerre. Il n'y aura aucune révélation mélodramatique et toutes deux devront cesser leur quête pour réapprendre à aimer et à vivre.

La Vie et rien d'autre multiplie les péripéties qui révèlent la réalité de la guerre. Un survivant est tué par un obus sous sa charrue, un sculpteur se réjouit de ces morts qui le font vivre, des édiles municipaux réclament des morts pour toucher des subventions. Le film dénonce aussi la lenteur bureaucratique, le trafic d'influences, la collaboration avec l'ennemi et surtout l'exploitation du malheur.

La mise en scène situe les personnages dans leur contexte, toujours en plans larges, et les gros plans n'apparaissent qu'à la moitié du film. Le chaos dans la tête des gens s'exprime dans celui des choses. Les bureaux sont installés dans un théâtre, l'hôtel dans une usine, la salle de bal dans une église, et le champ de bataille sert de lieu pour pique-niquer.

Cette réalité de la guerre constitue le véritable sujet du film et détermine les comportements des personnages. La recherche d'un soldat disparu devient aussi dérisoire que celle d'un soldat inconnu. Inscrite dans les sentiments des personnages, la démonstration propose qu'il faut plutôt se préoccuper de l'apprentissage du bonheur. La rééducation des estropiés et des amnésiques se double de celle du cœur et des sentiments.

Cette ouverture vient des personnages féminins. Irène, la bourgeoise, accuse les anciens combattants de nourrir leur nostalgie guerrière parce qu'ils ont peur des femmes, « de leur ventre, de leur courage, de leur regard ». La générosité de Dellaplane débouche sur une prise de position politique puisqu'il quitte l'armée pour se retrancher du monde. Il sera enfin capable d'avouer ses sentiments... par écrit.

Cinéaste engagé, Tavernier explore la réalité et quel que soit le genre abordé, il reste fidèle à ses préoccupations sociales. Par exemple, son film policier *L 627* (1992) a des allures de documentaire sur une brigade antidrogue des banlieues de Paris. Le véritable sujet du film s'avère le fossé entre l'article 627 du Code et son application, car les policiers luttent autant contre la bureaucratie que contre le crime.

Avec l'aide de l'enquêteur Michel Alexandre, le cinéaste a consacré des années à la recherche et au repérage pour montrer finalement ce que seule la fiction pouvait montrer. Il a choisi des acteurs pour les rôles principaux et des trafiquants comme figurants. Mais il a refusé l'intrigue traditionnelle car dans la réalité des policiers, rien n'est jamais réglé. Et encore une fois, Tavernier propose le portrait d'un individu qui emmerde les autres en voulant tout simplement faire son travail.

CHAPITRE 8

UN CINÉMA POLITIQUE

I L Y A TOUJOURS eu des films politiques, comme *L'Espoir* (André Malraux, 1945), *The Salt of the Earth* (H.J. Biberman, 1953) ou *La Bataille d'Alger* (Gillo Pontecorvo, 1966), mais ces films étaient plus ou moins en marge de la production courante. Après Mai 68, le cinéma de consommation se réserve un créneau consacré exclusivement à la politique. On crée un nouveau genre, la politique-fiction ou la fiction de série Z, en l'honneur du film qui lui a servi de modèle.

En 1969, Costa-Gavras aura un énorme succès avec son film *Z*, sur l'assassinat en Grèce du chef de l'opposition par les hommes de main des Colonels au pouvoir (en référence à l'affaire Lambrakis). En 1970, il raconte dans *L'Aveu* les procès à Prague d'un homme forcé d'avouer des crimes imaginaires contre l'État (en référence à Arthur London). En 1973, il reconstitue dans *État de siège* l'assassinat par les Tupamaros d'Uruguay d'un conseiller militaire américain (en référence à Dan Mitrione).

Costa-Gavras fera beaucoup d'autres films mais déjà, il utilise les recettes du spectacle hollywoodien en raison de leur efficacité pour conscientiser les spectateurs. Dans des films pour grand public (tous trois avec la vedette Yves Montand), il fournit des messages très clairs : l'antifascisme dans *Z,* l'anti-communisme dans *L'Aveu* et l'anti-impérialisme dans *État de siège.* Il a la conviction d'élaborer un discours de gauche à l'intérieur du cinéma commercial. Cette préoccupation, partagée par beaucoup de cinéastes, contaminera toute la décennie.

Le cinéma de politique-fiction s'attaquera pratiquement à toutes les institutions sociales. Mais c'est la police qui inspirera le plus grand nombre de films, qui l'accuseront tous de corruption et d'abus de pouvoir. *Enquête sur un citoyen au-dessus de tout soupçon* (Elio Petri, 1969) ouvre la voie : un commissaire de police tue sa maîtresse et sème des preuves qui l'incriminent, convaincu que personne n'osera l'accuser, par peur de troubler la hiérarchie et l'ordre.

Un condé (Yves Boisset, 1970), *Les Assassins de l'ordre* (Marcel Carné, 1970), *Confession d'un commissaire de police au procureur de la République* (Damiano Damiani, 1971) et *Serpico* (Sidney Lumet, 1973) montrent des policiers qui ont recours à l'illégalité. Dans un contexte plus large, le système judiciaire est lui aussi présenté comme corrompu, au service du pouvoir politique, dans *Sacco et Vanzetti* (Giuliano Montaldo, 1971), *Il n'y a pas de fumée sans feu* (André Cayatte, 1972) et *Défense de savoir* (Nadine Trintignant, 1972).

Érigée en spectacle, la politique débouche sur les complots. *L'Attentat* (Yves Boisset, 1972) raconte l'affaire Ben Barka, *Chacal* (Fred Zinnemann, 1973) une tentative d'assassinat contre De Gaulle, *Le Juge Fayard, dit le « Shérif »* (Yves Boisset, 1976) l'assassinat du petit juge Renaud. *Executive Action* (David Miller, 1973) et *I comme Icare* (Henri Verneuil, 1979) proposent leur version de l'assassinat du Président. *The Parallax View*

(Alan J. Pakula, 1974) et *Three Days of the Condor* (Sydney Pollack, 1975) dénoncent les forces occultes à l'intérieur de la CIA tandis que plusieurs films traitent du terrorrisme.

Le pouvoir est accusé de tous les abus, entre autres dans les films de Rosi. *All the President's Men* (Alan J. Pakula, 1976) reconstitue l'enquête qui a conduit au scandale du Watergate. *Panique* (Jean-Claude Lord, 1977) montre que le gouvernement protège les industries polluantes et *La Raison d'État* (André Cayatte, 1978) sa participation dans le trafic d'armes. *L'Argent des autres* (Chalonge, 1978) dénonce les spéculations financières et *Le Dossier 51* (Michel Deville, 1978) démontre l'intrusion de l'appareil technico-politique dans la vie privée.

Dans sa volonté de dénoncer les arcanes du pouvoir, le cinéma de politique-fiction s'intéresse aux abus de la presse dans *L'Honneur perdu de Katharina Blum* (Volker Schlöndorff, 1975) et à ceux de la télévision dans *Network* (Sidney Lumet, 1976). Il va jusqu'à explorer l'utilisation du sport professionnel par les grandes entreprises dans *Coup de tête* (Jean-Jacques Annaud, 1978) et l'aliénation sociale entretenue par le chauvinisme sportif dans *À mort l'arbitre* (Jean-Pierre Mocky, 1983).

Mais il s'agit moins de dresser une liste exhaustive que de montrer l'importance du phénomène, celui des films qui se disent politiques. On a tendance à présenter comme films politiques ceux qui traitent d'un aspect spectaculaire de la politique : les scandales, les complots, les assassinats, etc., mais à classer comme drames psychologiques ceux qui traitent d'un problème quotidien : les conditions de travail, les revendications féministes, la violence raciste, etc.

Bien sûr, tous les films sont politiques, particulièrement ceux qui s'affichent comme de simples divertissements (souvent réactionnaires). Mais généralement on laisse croire que faire l'éloge de l'armée, de la religion, de la justice, c'est faire de l'information… tandis que critiquer ces institutions, c'est vraiment faire de la politique. Le phénomène des films de politique-fiction aurait donc comme effet pervers de laisser croire qu'ils sont nécessairement de gauche ou du moins progressistes.

Costa-Gavras, Pakula, Boisset, Petri et d'autres inscrivent leurs dénonciations dans les conventions d'un genre (le film policier) et pratiquent toutes les recettes du spectacle (car ils visent le grand public). Certains considèrent que ces cinéastes responsables ont raison d'utiliser les recettes qui séduisent les foules pour contester et faire réfléchir. Ils détourneraient le cinéma spectacle vers une conscience politique progressiste.

D'autres les accusent, au contraire, de plier leur dénonciation aux nécessités du suspense et du vedettariat, et cela au détriment de la clarté politique. La réflexion et la prise de conscience s'accommoderaient mal du spectaculaire. La dramatisation à tout prix limiterait l'analyse des sujets et forcerait aux concessions idéologiques. Le contenu politique serait récupéré, évacué au profit du « façonnement industriel des esprits ».

Parmi les conditions nécessaires à l'efficacité d'un film visant la conscientisation du public, il y a d'abord la nécessité d'un *récit* qui explore l'événement politique dans toute sa complexité. Trop souvent le conflit politique se retrouve en arrière-fond, simple décor dans lequel se déroule un drame individuel. Cela se vérifie quand on peut transposer le film dans un autre lieu ou une autre époque sans affecter l'intrigue en profondeur.

L'enquête d'un homme seul face à une organisation anonyme, qu'il s'agisse de la mafia ou du gouvernement, c'est encore et uniquement une enquête policière. Le schéma traditionnel du justicier contre le système en arrive toujours à déplacer le sujet, l'événement politique lui-même, vers des conflits purement psychologiques ou individuels. Le personnage doit se définir plus par le contexte que par le suspense.

La Classe ouvrière va au paradis (Elio Petri, 1971), par exemple, met en scène un ouvrier coincé dans un travail absurde (il fait augmenter les cadences pour améliorer son salaire) et dans l'engrenage du bien-être matériel (il travaille uniquement pour consommer plus). Aliéné dans la mesure où il ne comprend pas sa situation, Lulu se coupe un doigt et se retrouve ballotté entre le syndicalisme, le gauchisme et la folie.

Le cinéaste propose ici d'améliorer les conditions de travail pour permettre au moins une prise de conscience. La force du film repose sur une vision globale de la condition de l'ouvrier. Celui-ci se définit autant dans son travail que dans ses relations familiales, autant dans ses rapports à l'économie que dans ses sentiments, autant par la politique que par la psychanalyse. Le sujet, ce ne sont pas les malheurs d'un ouvrier mais les contradictions de la lutte ouvrière et la nécessité de la solidarité.

Le film qui se dit politique devra surveiller la fonction de son **personnage** principal, et surtout éviter la simplification bons/méchants, typique du cinéma de genre. Portant le film sur ses épaules, le Héros exceptionnel propose surtout l'individualisme (le messianisme) tandis que le Perdant magnifique suggère finalement l'inutilité de la lutte (le défaitisme). Tous deux laissent croire qu'il n'y a pas de changement possible.

Trop souvent ces films détournent la critique d'un problème général sur celle d'un individu. On ne dénonce pas les fondements de l'institution ou de l'idéologie, mais plutôt leur fonctionnement à travers le comportement de leurs représentants. On ne conteste pas l'armée, la justice ou le gouvernement mais seulement la corruption ou l'incompétence d'un officier, d'un avocat ou d'un politicien. Comme dans le *Reader's Digest,* la dénonciation politique devient ainsi procès en moralité.

Dénoncer les abus ou les compromissions de certains individus, ce n'est pas expliquer ce qui les engendre mais simplement faire la morale. D'ailleurs attaquer les institutions sur des aspects secondaires ou des tares accidentelles permet justement de les défendre, en supposant que, malgré leurs imperfections, ces institutions restent toujours nécessaires. Et cela prouve le libéralisme d'un système qui accepte la contestation, qui a même intérêt à la produire lui-même pour mieux la contrôler.

Queimada (Gillo Pontecorvo, 1970), par exemple, s'intéresse plus à la machination politique qu'à la psychologie de son personnage. Sir Walker organise une révolution dans une île portugaise en défendant l'idée qu'un esclave est moins rentable qu'un ouvrier. Puis il manipule le nouveau pouvoir de façon à mettre l'économie du pays sous tutelle britannique. Dix ans plus tard, il revient diriger la répression, avec la même bonne conscience professionnelle, car entre-temps le révolutionnaire José Dolores a compris que la véritable libération passe par la lutte des classes.

Le personnage principal (joué par Marlon Brando) n'a aucune vie intime, même pas une enfance malheureuse pour se rendre intéressant. Il représente d'abord certains intérêts financiers. Son efficacité reste fascinante et suscite plus que de l'indignation. En effet, cette « aventure dans les îles » est un véritable traité d'économie politique. Le sujet, ce sont les mécanismes du colonialisme, qui conditionnent les personnages, et qui permettent au spectateur de mieux comprendre l'exploitation des pays du tiers monde.

La **mise en scène** d'un film politique peut adopter aussi bien une approche documentaire (qui garantit l'authenticité des faits) qu'une approche par la fiction (qui permet de mieux cerner les causes ou d'insister sur des éléments peu évidents). La forme n'est pas déterminante en soi, c'est son orientation politique ou le degré de conscientisation du spectateur qui s'avèrent importants. En ce qui concerne le cinéma de politique-fiction, la mise en scène ne doit pas être uniquement au service du spectacle.

Une mise en scène documentée s'appuie sur un dossier, quitte à reconstituer des événements malgré l'absence de documents. La reconstitution devrait être plus didactique que spectaculaire. Des récits encadrés, en abîme ou en mosaïque permettront de mettre les faits en perspective, de les comparer. Comme la désinformation se fait en montrant le plus de faits possibles sans les hiérarchiser, la mise en scène devra donner le temps nécessaire à l'assimilation des informations. Elle permettra des marges utiles pour la récapitulation, assurera un dialogue avec le spectateur et ne refoulera surtout pas la réflexion sous les seules émotions.

Dans *Viol en première page* (Marco Bellochio, 1972), le rédacteur en chef d'un journal conservateur tire profit d'un fait divers, celui du meurtre d'une étudiante. Il cache l'identité de l'assassin et laisse un jeune gauchiste être accusé, ce qui aide à la réélection de la droite. Et il se permet de faire la leçon à un journaliste, lui expliquant que pour neutraliser ou désamorcer une nouvelle, il suffit de la rendre spectaculaire. Dépolitiser une information, c'est éviter que le public se sente concerné, responsabilisé. Bref, il faut épater au lieu d'expliquer.

Bien sûr les cinéastes de politique-fiction pratiquent beaucoup plus un cinéma de la sensibilisation qu'un cinéma de l'analyse. Ils ont abordé des sujets rarement traités dans le cinéma de consommation courante. Par ailleurs Costa-Gavras s'adresse au même public que Lelouch, et cela avec les mêmes outils. Il a le mérite d'être moins réactionnaire.

Le cinéma de politique-fiction aura surtout provoqué une réflexion sur le caractère idéologique des films, réflexion qui a permis de comprendre que les films « politiques » ne le sont pas nécessairement... sinon au même titre que n'importe quel film de divertissement. Pour qu'un film soit vraiment progressiste, il faut en maîtriser l'impact chez le spectateur, donc éviter que la conscientisation ne soit récupérée par le spectacle.

La politique chez Rosi

Héritier du néoréalisme italien, Francesco Rosi choisit ses sujets dans la réalité, tourne en décors naturels, mêle comédiens professionnels et amateurs, puis ajoute le son synchrone. Mais en plus, il porte un regard critique sur la réalité. Il privilégie les situations de crise, révélatrices de contradictions, et se préoccupe surtout du passé, parce que le recul permet de mieux dégager les causes et l'évolution d'un problème. C'est ainsi que Rosi élabore des procès de la réalité qu'il reconstitue.

Pour expliquer le réel dans toute sa complexité, il déborde la seule psychologie du personnage et situe celui-ci dans son contexte global. C'est le montage qui fournit les rapprochements, les décalages entre pauvres et riches, les liens entre l'économique et le politique. Chaque événement ne prend son sens que dans la mosaïque dans laquelle il s'inscrit. Rosi élabore des architectures où la multiplicité des points de vue (sociologique, économique, politique) constitue un discours sur l'exercice du pouvoir.

Salvatore Giuliano (1961) fournit déjà la matrice de la plupart de ses films (15 jusqu'à maintenant). Il commence par montrer le cadavre du bandit sicilien en 1950 et nous prive de toute possibilité d'identification par l'absence pure et simple du personnage (vague silhouette à l'occasion). Rosi explore moins la biographie de Salvatore Giuliano que les structures politiques d'une société corrompue. Complètement éclatée, la chronologie fournit une réflexion sur les forces sociales et politiques qui ont créé, manipulé et finalement évacué le bandit sicilien.

Les événements ne sont plus perçus à travers l'expérience d'un individu mais selon un faisceau de points de vue différents (mais convergents). Les zones d'ombre témoignent de la complexité des faits et le film reste ouvert à une foule de questions, comme la réalité elle-même. Rosi démontre que l'indépendantiste en lutte contre la police et l'armée a finalement été récupéré par la mafia, organisation terroriste à la solde des gros propriétaires fonciers. Par l'entremise d'un personnage historique, c'est l'histoire de la Sicile de l'après-guerre qu'il nous raconte.

Main basse sur la ville (1963) raconte un scandale, celui de spéculations immobilières à Naples. L'entrepreneur en construction Nottola est responsable de la mort de pauvres gens dans l'écroulement d'un de ses immeubles. Malgré l'opposition, il saura manipuler les politiciens de façon machiavélique, pour être réélu et continuer sa politique d'urbanisation. Jusqu'au carton final : « Les personnages et les faits présentés ici sont imaginaires. La réalité sociale qui les produit, elle, est authentique ».

Le film emprunte l'efficacité du film noir américain (et le comédien Rod Steiger) pour expliquer comment les combines de certains groupes d'intérêts privés reçoivent la bénédiction du gouvernement (et du clergé). Rosi s'intéresse moins à la peinture des fraudeurs qu'à l'exposition rigoureuse des faits, selon un point de vue en quelque sorte marxiste. Il en arrive à démontrer que la force des politiciens corrompus repose d'abord sur la dépolitisation des citoyens.

L'Affaire Mattei (1972) illustre très bien la démarche qu'adopte Rosi pour éviter que le contenu politique soit évacué par le caractère spectaculaire du film. Ce dernier élabore une structure à la *Citizen Kane* mais s'il utilise le portrait d'un homme important, c'est surtout pour dresser une spectrographie de l'Italie du miracle économique. Enrico Mattei avait créé après la Deuxième Guerre mondiale, et présidait depuis, la

Société nationale de l'énergie (ENI). Il se trouvait en compétition avec les compagnies privées de pétrole, « les sept sœurs ». Le *récit* commence par la mort de Mattei dans un accident d'avion en 1962. Puis le film raconte la carrière de Mattei entre 1945 et 1949, revient au présent de son histoire avec Mattei et le journaliste libéral, intercale une intervention du cinéaste, et finalement retourne à l'accident. Parce qu'elle s'intéresse plus au dossier qu'au suspense, la mosaïque de 65 scènes s'articule de façon à susciter les questions, donc la réflexion.

Les informations sont fournies sous forme de puzzle, les significations viennent de leur confrontation et le spectateur doit en faire la synthèse. La structure du récit n'établit pas des relations chronologiques entre les événements mais plutôt des relations idéologiques. On ne cherche pas à savoir qui est Mattei, non plus qu'à apprendre qui l'a tué, mais à comprendre comment s'exerce le pouvoir à travers lui.

Le structure reste ouverte, incomplète, comme la réalité… puisque la mort d'Enrico Mattei n'a jamais été élucidée (accident ou sabotage?). Elle reste ouverte aussi parce que la réalité a modifié le tournage lui-même : le recherchiste De Mauro qui enquêtait sur la finale du film a été assassiné. Et Rosi intègre son enterrement dans le récit.

Le *personnage* principal du film se définit surtout par son rôle social. Mattei travaille 18 heures par jour, donne son salaire aux moines et se détend à la pêche ou au bordel. Il ne s'agit donc pas d'une biographie avec analyse psychologique, pas plus qu'il ne s'agit d'une enquête policière qui accuserait tout ce qui bouge de l'avoir tué. Le film explore surtout sa fonction de despote éclairé qui avait le souci de l'intérêt public.

Ni salaud ni martyr, Mattei est contradictoire. D'abord serviteur de l'État, il en deviendra le patron. Mégalomane et ambigu, il a utilisé les autres comme les autres l'ont utilisé. Il incarne très bien le capitalisme d'État, celui des entreprises publiques créées pour servir la collectivité mais qui deviennent un État dans l'État. Et c'est à travers Mattei qu'on en arrive à comprendre les liens entre le pouvoir économique et le pouvoir politique.

Le sujet reste donc la lutte de Mattei. Chargé de liquider la société à la source de l'ENI, il en fait un instrument de libération nationale en faisant reconnaître l'importance des ressources énergétiques et en cassant les prix américains. Mattei refuse de céder le patrimoine national aux grands groupes économiques privés, il refuse aussi les restrictions imposées par l'alliance avec l'impérialisme américain et préfère la coopération économique internationale, en particulier avec les pays du tiers monde.

La *mise en scène* s'avère fidèle aux documents. Rosi tourne sur les lieux authentiques, mêle comédiens et personnages réels, et cherche la vérité de son personnage en ne montrant que sa vie publique. S'il se permet quelques scènes privées, il ne dévie jamais sur des problèmes personnels. Il suscite l'identification au personnage (joué par Gian Maria Volonte) mais sans jamais nuire à la perspective historique.

L'Affaire Mattei est un film de montage avec du matériel reconstitué, ce qui ne l'empêche pas d'avoir une grande force émotionnelle. C'est une fiction documentée, capable de ne jamais refouler la réflexion derrière le spectacle. Le film reste didactique dans la mesure où il démontre l'importance, pour un système démocratique, de contrôler réellement le pouvoir économique… s'il veut rester démocratique.

Bien sûr il y a certaines ambiguïtés. Le film pourrait être envisagé comme la glorification d'un entrepreneur qui, au nom du progrès économique et social, manipule les hommes politiques et le gouvernement. À moins qu'il ne s'agisse d'un homme machiavélique qui lutte par des méthodes capitalistes contre les monopoles pétroliers et qui se range automatiquement du côté des pays exploités.

Le film pourrait aussi faire l'éloge d'un capitaliste qui compétitionne pour le profit et le rendement mais qui malheureusement aurait été assassiné par d'autres capitalistes. À moins qu'il ne s'agisse d'un Robin des Bois qui vise l'indépendance économique de l'Italie mais qui échoue à cause de son individualisme. Ce qui amène le cinéaste à écrire à la fin du film : « Les peuples vaincront ». Rosi réalise, dans la même veine, *Lucky Luciano* (1973) et *Cadavres exquis* (1975). Il détourne encore le langage classique et les mécanismes du spectacle pour pratiquer une distanciation à la Bertolt Brecht. Mais dans *Le Christ s'est arrêté à Eboli* (1978) et *Trois frères* (1980), ses préoccupations sont de plus en plus philosophiques. Son lyrisme se met au service d'une méditation sur le sens de la vie.

CHAPITRE 9

UN CINÉMA DISTANCIÉ

C ERTAINS CINÉASTES des années 1970, entre autres R.W. Fassbinder et Werner Herzog, dédramatisent les histoires qu'ils racontent. Ceux-ci ne découpent pas les scènes émotionnelles ou d'action mais les tournent plutôt en plans longs et fixes. Sous prétexte de s'adresser à l'intelligence consciente du spectateur, ils font des films qui affichent leur théâtralité.

C'est parce qu'ils ont pris leurs distances face au cinéma que ces cinéastes peuvent exercer une distanciation par la mise en scène. D'autres iront plus loin et sauront opérer une distanciation politique, dans le sens brechtien du terme. C'est parce qu'ils ont pris du recul face à la réalité que Tanner, Allio ou Arcand pourront exercer une distanciation face à leur sujet, donc au niveau de leur récit et de leurs personnages.

Plus qu'une simple technique de mise en scène, la distanciation se veut d'abord un processus d'analyse sociale. Elle consiste à expliquer la réalité politiquement tout en respectant la complexité des choses. Elle élabore des mécanismes visant à créer une attitude critique chez le spectateur. Et pour lui faire prendre conscience du fonctionnement réel de la société représentée, il faut que les thèmes idéologiques soient présentés justement comme des valeurs idéologiques ou culturelles.

Si la déconstruction à la Godard vise à ce que le spectateur soit conscient d'être au cinéma, la distanciation vise à ce qu'il soit conscient de se faire raconter une histoire. Il ne s'agit pas de dénoncer le cinéma mais seulement sa conception aristotélicienne (ou hollywoodienne). Comme il faut reconnaître quelque chose pour s'en distancer, l'histoire et le personnage principal seront conservés mais leur fonction sera détournée.

Dans les années 1970, certains cinéastes en arrivent donc à mesurer leurs moyens d'expression, à utiliser le langage de façon consciente. Leur réflexion les amène à s'intéresser aux théories de Bertolt Brecht sur le théâtre et à les transposer au cinéma. Ils exercent alors une certaine distanciation par la discontinuité du récit, le décentrement du personnage et la dédramatisation de la mise en scène.

En ce qui concerne le *récit,* ils reconnaissent sa nécessité car pour prendre du recul, il faut décrocher de quelque chose qui nous est familier. Raconter une histoire consiste à dramatiser, donc privilégier les situations de crise, laisser tomber les temps morts, accentuer les conflits émotionnels et aussi distribuer les rebondissements en fonction des attentes. La logique narrative veut faire « vivre » l'action au spectateur, lui permettre le rêve et l'évasion jusqu'au défoulement final.

Il s'agit donc de subvertir le récit traditionnel, de le détourner de sa fonction habituelle. La distanciation s'exerce en dégageant le spectateur de l'attente anxieuse de la fin pour qu'il s'intéresse au déroulement lui-même. Les tableaux valent plus pour eux-mêmes que par leur enchaînement. La discontinuité permet de comparer les situations, d'établir des relations entre les événements, d'arriver à une lecture transversale.

Nous avons constaté dans les chapitres sur Tavernier et sur Rosi que *Des enfants gâtés* et *L'Affaire Mattei* pourraient servir de modèles. Ces films évitent le seul enchaînement logique au profit d'une structure en mosaïque ou en puzzle permettant la mise en perspective des faits et les commentaires du cinéaste. La structure du récit élabore une certaine dialectique pour souligner la complexité des situations et fournir au spectateur des outils d'analyse.

Dans *Mourir à tue-tête* (Anne Claire Poirier, 1979), le viol de Suzanne est découpé de la façon la plus efficace et la plus dramatique, mais selon le point de vue de la victime pour en quelque sorte le faire subir au spectateur. Graduellement, la fiction du viol est entrecoupée par la fiction de la salle de montage où les personnages commentent justement la fiction principale. D'ailleurs la réalisatrice de la seconde fiction organise une entrevue avec la victime de la première fiction.

De plus, les deux réseaux sont entrecoupés par des extraits d'archives filmiques qui prolongent la problématique du viol. Le film commence par un « inventaire » de différents violeurs, tous joués par le même comédien. Les victimes apparaissent plus tard dans une scène théâtralisée, celle du tribunal, servant surtout à fournir de l'information… bref, la structure est organisée en fonction d'une thèse et les échanges entre les réseaux contribuent à nous distancier, à nous faire réfléchir.

Qu'il s'agisse de récit stratifié ou dédoublé, de mise en abîme ou en parallèle, de récit enchâssé ou en mosaïque, la confrontation des éléments oblige le spectateur à dégager les relations internes du puzzle. Certains cinéastes voudront témoigner de leurs interrogations et permettre une lecture verticale. Ils brisent le suspense pour le suspense et pratiquent un va-et-vient continuel entre la participation émotionnelle du spectateur et le détachement critique, entre le plaisir et la réflexion.

En ce qui concerne le *personnage* principal, la meilleure façon de susciter une attitude critique chez le spectateur consiste à le décentrer par rapport à la réalité. Celui-ci participe alors aux événements mais ne les explique pas à lui seul (car il est tributaire des autres). Le monde n'est plus perçu à travers la seule conscience du héros. La réalité existe par elle-même, perçue directement par le spectateur.

Dans le cinéma classique, l'histoire est organisée autour du personnage principal : il assure la continuité des événements, oriente le déroulement du film et lui donne sa signification. La dramatisation par le découpage démarque un personnage des autres, la voix off lui fournit une vie intérieure, le montage en fait le héros du film. Présenté comme le centre de l'univers diégétique, il est celui à qui le spectateur s'identifie.

C'est justement cette identification que les cinéastes de la distanciation remettent en question, la désignant comme mécanisme d'aliénation. La mise en scène classique n'épargne aucune manipulation émotive pour forcer le spectateur à adopter le point de vue du personnage principal. Cette sympathie en arrive à détruire toute possibilité de conscience critique. Et ne propose jamais rien d'autre que l'individualisme.

Le cinéma distancié refuse de réduire le monde à la seule psychologie, donc refuse de présenter la réalité à travers la seule conscience du héros. Il faut décentrer le personnage principal d'une réalité qui existe indépendamment de lui. Il faut l'historiciser, le situer dans son contexte sociopolitique. Dépendant de ceux qui l'entourent, il aura des réactions et des comportements particuliers à sa culture, sa société, son époque.

Le cinéma hollywoodien présente la violence et les injustices comme naturelles, de sorte qu'elles en deviennent légitimes. Et l'idéologie dominante laisse croire que l'exploitation (on est né pour un petit pain), la conscience heureuse (mais ça pourrait être pire) et le manque de solidarité (car il y aura toujours des pauvres) sont normaux, universels, éternels. Elle évacue le politique au profit de la morale et de l'indignation.

Pour susciter la réflexion, il faudra donc présenter les contradictions comme étant justement des contradictions. Envisager les problèmes comme particuliers à une époque, à une société, c'est montrer qu'ils sont historiques, explicables, transformables. C'est rendre le spectateur conscient en lui signalant qu'il peut refuser la violence, le sexisme, le racisme et que la réalité peut être modifiée. Il ne s'agit donc pas d'indigner le spectateur (en termes de morale) mais plutôt de lui expliquer les vraies contradictions (en termes de politique).

L'homme est une variable de son milieu et la société est un ensemble de relations entre individus. Cette prise de conscience de la relation de l'individu avec la société conduit à présenter les injustices et les contradictions comme issues de telle situation sociale, et non plus comme des vérités inéluctables ou des caprices du destin. L'exploitation n'est plus quelque chose de naturel et de légitime, mais le résultat de rapports de force spécifiques à un système ou à une époque. C'est d'ailleurs ici que la distanciation devient politique.

Le cinéma classique raconte des histoires qui pourraient se passer n'importe où, n'importe quand. Trop souvent le héros sera vainqueur grâce à des valeurs universelles comme l'individualisme, le courage, la bonne volonté. Et s'il échoue, ce sera pour des raisons éternelles comme son enfance malheureuse, un destin tordu ou pourquoi pas, les astres. Admettre le destin, c'est accepter l'injustice comme naturelle et refuser les solutions. Le personnage distancié n'est pas toujours conscient de son aliénation, mais comme le film déborde l'intrigue individuelle, il peut dégager les rapports de force, proposer de les transformer et de modifier la société.

Dans *Les Camisards* (René Allio, 1970), l'identification au personnage principal (qui arrive au tiers du film) s'avère inopérante. Il s'agit de la guerre des protestants des Cévennes et du Languedoc contre l'armée de Louis XIV. Cette révolte populaire illustre « le processus qui veut que toute oppression protège des privilèges et se justifie par une idéologie plus conservatrice que celle des opprimés » (René Allio).

La lutte des maquisards est montrée dans le présent objectif de l'image et commentée par le récit subjectif en voix off de Combassous (d'ailleurs écrit vingt ans plus tard). Marginal par rapport à l'intrigue, Jacques Combassous participe en effet à l'action en même temps qu'il l'explique ou l'interprète. C'est parce qu'il est décentré par rapport à une réalité, dont il a une vision à la fois pertinente et partielle, que jamais il ne deviendra la conscience spéculaire du film.

Il y a une marge à combler entre ce que nous voyons et la version de Combassous. Prise en charge par un personnage du film, la voix off sert d'intermédiaire entre l'événement et le spectateur. Elle devient ainsi la tierce personne, le démonstrateur si cher à Brecht. L'écriture du film fournit des analyses de la réalité à travers la représentation des faits.

Le décentrement du personnage peut s'exercer de différentes façons : plusieurs personnages se partagent le discours, le personnage est contredit par le commentaire, ou encore il est présenté comme personnage. *Padre padrone* (Paolo et Vittorio Taviani, 1977), par exemple, raconte l'histoire vécue de Gavino

Ledda, un berger sarde qui s'est libéré de sa condition misérable pour devenir diplômé de linguistique. Ledda apparaît au début du film pour transmettre son bâton de berger à l'acteur qui interprète son rôle, et à la fin pour assumer les racines de sa culture.

En ce qui concerne la **mise en scène,** celle du cinéma classique vise toujours la vraisemblance (l'impression de réalité) et la transparence (la technique doit s'effacer derrière les événements représentés). L'histoire se présente comme vraie et le langage se veut invisible car entièrement au service de la représentation. Cela amène le spectateur à se préoccuper uniquement de l'intrigue. Il s'agit moins de signifier que de raconter de la façon la plus efficace pour faire « vivre » l'action.

Au contraire, la mise en scène du cinéma distancié s'affiche comme telle. La caméra ne se faufile plus au meilleur endroit possible pour nous faire participer, elle préfère rester à l'extérieur, se contentant d'observer, à distance. Elle s'apparente au regard du spectateur de théâtre. La mise en scène frontale élimine les contrechamps, les raccords, les plans de coupe, et sollicite moins notre participation émotionnelle que notre jugement. Elle nous invite à regarder les faits pour eux-mêmes, avec un certain détachement, conscients qu'on nous montre quelque chose.

Il s'agit donc de briser occasionnellement l'impression de réalité pour permettre au spectateur de décrocher, d'exercer une certaine critique. Bien sûr cette théâtralisation doit s'afficher non pas comme une incapacité à raconter mais comme un décalage, un détournement du langage traditionnel. Elle doit s'exercer seulement quand c'est nécessaire. La mise en scène distanciée ne refuse pas la dramatisation mais l'envisage comme moyen de prise de conscience et non comme fin en soi.

Les Ordres (Michel Brault, 1974) reste un modèle de film distancié. Il n'y a aucun suspense puisque nous savons ce qui est arrivé aux victimes de la Loi sur les mesures de guerre, en 1970. Le récit propose un éventail de plusieurs expériences présentées en parallèle. Nous alternons continuellement entre Clermont Boudreau, le docteur Beauchemin, Richard Lavoie et les autres jusqu'à vivre par chacun une partie de l'action que tous vivront au complet (l'arrestation, la fiche d'inscription, la fouille).

Les cinq personnages ont une égale importance et personne n'est réduit au rôle de faire-valoir. Ils sont complexes, riches des témoignages de 50 victimes réelles. Il n'y a pas de schématisme bons/méchants puisque les policiers ne comprennent pas trop ce qu'ils font. De plus, Brault désamorce l'identification à la vedette, dépositaire de la Vérité. Chaque comédien vient présenter le personnage qu'il incarnera. Ils se disent porte-parole et nous forcent ainsi à prendre conscience que nous assistons à une reconstitution.

Ils nous obligent encore plus à prendre un certain recul quand ils continuent à commenter au fur et à mesure ce qu'ils sont en train de vivre. En voix off, ceux-ci racontent ce qu'ils ressentent, en simultanéité avec la présentation des faits, ou encore dégagent des significations après coup, présentant ce qu'on voit comme vécu au passé. Richard Lavoie va jusqu'à prendre le cinéaste-spectateur à témoin : « C'que j'vais t'raconter là, tu m'croiras peut-être pas… mais c'est vrai… »

La distanciation fait confiance au spectateur et l'aide à avoir du talent parce qu'elle fait appel aussi bien à son jugement qu'à ses sentiments. Au lieu de le confirmer dans ses préjugés, elle l'oblige à regarder autrement, à faire la part des choses, à prendre position. Tout en protégeant le plaisir des histoires, le caractère didactique de la distanciation l'amène à ne pas refouler la réflexion derrière les seules émotions. Chez les cinéastes de la distanciation, la mise en scène vise moins à dramatiser la réalité qu'à l'interpréter, pour fournir un point de vue critique et permettre au spectateur de la comprendre à son tour. Bien sûr la réalité ne se laisse pas raconter facilement, encore moins expliquer. Le cinéaste doit toujours préserver l'équilibre entre l'art du cinéma et l'efficacité politique, exigence qui n'est pas à la portée de n'importe qui.

La distanciation chez Tanner

Dans la mouvance de Mai 68, Alain Tanner propose des personnages qui refusent de s'intégrer au système, qui apprennent à poser des gestes utiles aux autres pour contribuer à l'avènement d'une société plus libre et plus juste. Au pays des banques, ces marginaux de l'intérieur réfléchissent sur la pratique de leurs idées, refusant la normalisation par des attitudes libertaires particulièrement face au travail et à l'éducation.

Charles mort ou vif (1969) s'ouvre sur le portrait, par une équipe de télévision, du directeur d'une entreprise familiale d'horlogerie. Charles Dé se rend compte alors de la platitude de son existence, trop bien réglée, et décroche. Il trouve refuge chez un couple de bohèmes et réapprend à vivre… jusqu'à ce que son fils le fasse enfermer. Tanner propose une fable sur le processus de changement et sa réflexion est articulée par des citations ou des commentaires en voix off.

Dans *La Salamandre* (1971), Pierre le journaliste et Paul l'écrivain s'associent pour scénariser un fait divers : Rosemonde aurait voulu tuer son oncle, ou celui-ci se serait blessé en nettoyant son fusil militaire. Pierre enquête tandis que Paul invente… mais la « salamandre » les amène à vivre autre chose et le scénario ne sera jamais terminé. Tanner abandonne graduellement l'intrigue pour se préoccuper de la mentalité des Suisses. Et la révolte de Rosemonde consistera à se faire congédier.

La chronique intègre des faits de la vie quotidienne : la scène de tramway où Paul joue un Turc en train de battre tam-tam et Pierre simule le brave citoyen raciste, celle où le fonctionnaire vient vérifier s'ils possèdent et ont lu le petit manuel de la Défense civile, et d'autres. Ces scènes contribuent moins à la logique narrative qu'à la description du contexte social. La voix off explique aussi bien la grève des éboueurs que la vraie nature de Rosemonde, quand elle ne contredit pas les personnages.

Dans *Le Retour d'Afrique* (1973), un couple fête son départ pour l'Algérie mais un contretemps les retient chez eux. Pour éviter les explications à leurs amis, Vincent et Françoise s'enferment dans leur appartement vide, laissant croire qu'ils sont partis. Ils apprennent finalement à vivre aussi bien l'égalité de la femme et de l'homme que la lutte organisée des locataires. Convaincus désormais que c'est en Suisse qu'ils doivent lutter pour se faire une place, ils feront même un petit « traître à la patrie ».

Le Milieu du monde (1974) raconte les amours d'un ingénieur suisse et d'un serveuse italienne. Candidat aux élections cantonales, Paul s'accroche à son rôle social, récupéré par les institutions. Plus émancipée, Adriana finira par le quitter pour rester fidèle à elle-même, refusant ainsi la citoyenneté helvétique. La fable, avec ses scènes autonomes et ses cartons, sera commentée par Tanner lui-même.

Charles Dé, Rosemonde, Vincent et Françoise refusent la médiocrité ambiante, celle d'une société trop conformiste. Leur contestation a l'intérêt de s'exercer dans un cinéma qui réfléchit sur lui-même. Dans le premier film, le cinéma permet de connaître beaucoup mieux Charles Dé que la télévision. Dans le second film, le journaliste échoue dans sa démarche documentaire tandis que le poète, qui privilégie la fiction, se retrouve proche de la vérité. Et le troisième film propose que le cinéma de fiction doit délaisser l'aventure (exotique) au profit du quotidien (helvétique).

Cette démarche, qui explore à la fois les possibilités de vivre autrement en Suisse et les mécanismes permettant d'engendrer une attitude critique chez le spectateur, trouvera son aboutissement dans le film suivant, qui s'apparente à un bilan. *Jonas qui aura 25 ans en l'an 2000* (1976) propose huit personnages dont les noms commencent par MA et qui se rencontrent, au gré d'une affaire de spéculation immobilière, pour partager leurs engagements et leurs utopies, huit ans après Mai 68.

Il y a d'abord décentrement du personnage. En effet, le discours est départagé entre plusieurs personnages, différents les uns des autres et décalés par rapport à la réalité (qui existe indépendamment d'eux). À la fois intégrés à la société par leur travail et marginaux par leur contestation du système, ces quatre couples de « petits prophètes » essaient tous d'échapper à l'aliénation par une forme d'engagement quelconque.

Max lutte contre les spéculateurs même s'il ne croit plus à la politique, Madeleine croit au tantrisme et à la fusion des contraires, Marco pratique un enseignement libertaire, Marie aide les gens du troisième âge en baissant les prix à la caisse, Marcel propose le retour à la nature et l'écologie, Marguerite s'offre aux travailleurs immigrés, Mathieu incarne la main-d'œuvre et Mathilde se veut baleine pour enfanter Jonas… Ils incarnent tous des valeurs de la contre-culture, parfois contradictoires.

Le militantisme de Max contredit les croyances de Madeleine, l'école alternative de Mathieu menace le projet économique de Marguerite, Marco sera congédié tandis que Marie sera emprisonnée, mais de la même façon que les personnages de Tavernier luttent par des comités de locataires, ceux de Tanner résistent par des groupes écologiques, des projets éducatifs et le travail communautaire. Reste à savoir si toutes ces révolutions minuscules finissent par constituer un véritable projet collectif.

Le film déborde la simple psychologie pour passer à l'analyse sociale. Situés dans un contexte sociopolitique particulier, les personnages se définissent par leur discours et leurs idées. Ils échappent aux caricatures soixante-huitardes et restent d'autant plus complexes qu'ils sont tributaires les uns des autres. Nous pouvons nous reconnaître en eux, mais Tanner nous refuse l'identification dans la mesure où ces personnages se regardent eux-mêmes à distance (la métaphore de la fresque murale).

Il y a aussi discontinuité du récit. Le film juxtapose des scènes autonomes et multiplie les ruptures par l'insertion de fantasmes individuels en noir et blanc (Max tirant sur son réveille-matin), de chansons hors contexte (celle de Brecht chantée par Marie en auto-stop), de documents d'archives (émeutes de Genève, cérémonies de Moscou), de poèmes mis en situation (de Pablo Neruda et d'Octavio Paz), de textes philosophiques sur l'éducation (de Piaget et de Jean-Jacques Rousseau), etc.

Tanner ajoute ainsi un palier critique à la diégèse de son film. Il articule sa fable de façon à la commenter au fur et à mesure. La rigueur du discours (avec commentaires par-dessus le film) s'appuie sur l'humanité des personnages (avec leurs contradictions). Par cette dialectique, le récit permet une lecture transversale des problèmes d'une génération, résumés dans la scène des oignons. C'est parce qu'elle réfléchit sur elle-même que la fiction favorise chez le spectateur une attitude critique.

Il y a aussi dédramatisation de la mise en scène. Tanner refuse les codes du langage classique pour leur préférer une mise en scène frontale. Par exemple, la scène du souper est filmée dans un seul plan de six minutes. Simple témoin, la caméra reste à l'extérieur, se contentant de contourner la table, sans jamais découper d'angles particuliers, sans jamais privilégier qui que ce soit. L'utilisation systématique du plan-séquence (le film comporte seulement 170 plans) et le découpage sous forme de tableaux (il y en a 70) engendrent une mise en scène au service du discours.

Alain Tanner vise moins à reconstituer la réalité qu'à la signifier ou l'interpréter. Son film cultive les décrochages et les dérapages, pour souligner qu'il s'agit d'une représentation de la réalité. La caméra est en avance ou en retard sur le mouvement des personnages, quand ce n'est pas la musique qui découpe et ponctue le discours. Mais si *Jonas qui aura 25 ans en l'an 2000* exerce une distanciation pour ainsi dire brechtienne, c'est d'abord parce qu'elle s'inscrivait dans un projet politique.

Au tournant des années 1980, la génération de Mai 68 aura mauvaise conscience (d'avoir raté sa révolution). Dans *Messidor* (1978), deux jeunes filles traversent une Suisse complètement balisée… jusqu'à tomber dans la démence. Alors Tanner partira tourner *Les Années Lumière* (1981) en Irlande et *Dans la ville blanche* (1982) au Portugal. Nous reviendrons sur ce cinéma dans lequel le désir d'utopie sera étouffé par le narcissisme ambiant, quand la démocratie sera confondue avec le marché et la liberté avec la consommation.

La distanciation chez Arcand

La Maudite Galette (1971) raconte l'histoire d'un minable qui tente le grand coup (et qui le rate parce qu'il est minable). Arcand regarde le monde de la criminalité sans l'expliquer et surtout sans aucune émotion. L'intérêt du film repose sur la dédramatisation de la mise en scène. Les huit crimes sont filmés en plans-séquences très longs et souvent fixes, incitant moins le spectateur à « vivre » l'action qu'à l'observer à distance, comme en vitrine. La mise en scène frontale nous oblige à rester témoins, conscients de nous faire raconter une histoire, sans y participer émotionnellement.

Réjeanne Padovani (1973) ira plus loin dans la distanciation par la complexité de sa structure narrative. Le film raconte une soirée chez l'entrepreneur Vincent Padovani qui a réuni autour de lui des personnalités politiques pour fêter l'inauguration de l'autoroute qu'il a construite. Le premier quart du film reproduit l'ordre social par l'alternance entre ceux qui commandent, en haut (parrain, ministre, maire) et ceux qui se salissent les mains, en bas (mafiosi, policiers, serveuses).

Le montage parallèle montre les connivences entre la politique et le crime organisé. Pendant le récital d'opéra, cet ordre sera transgressé par un coup de téléphone, et le reste du film perturbé par trois situations. Nous alternons successivement entre la visite d'une journaliste aux questions compromettantes, son passage à tabac et les attentions particulières des serveuses à l'endroit du maire ; entre le comité de citoyens luttant contre la construction de l'autoroute, le saccage de son local et la liaison de Jeannine Biron avec Jean-Pierre Caron ; entre Réjeanne Padovani réclamant ses enfants, son assassinat et la liaison d'Hélène Caron avec Vincent Padovani.

Les mécanismes sociaux sont expliqués à travers les moyens que se donnent les autorités pour maintenir le *statu quo* et les avantages sexuels qu'ils en retirent, à travers le sort réservé à ceux qui ne veulent pas obéir ou les relatives récompenses que reçoivent ceux qui jouent le jeu. La structure ternaire de la narration (transgression/répression ou récompense/retour à l'ordre) nous propose donc un discours sur l'exercice du pouvoir et les rapports de force. Mais les moyens d'intervention sont voués à l'échec et la finale bloque toute possibilité de transformer la société.

Dans *Gina* (1975), une équipe de journalistes vient terminer un documentaire à Louiseville en même temps que la stripteaseuse Gina vient y donner son spectacle. Ils font connaissance, filment les ouvriers du textile (en particulier Dolorès) et subissent les provocations d'une bande de moto-neigistes (en particulier Bob). Les cinéastes et Gina sont confrontés à deux groupes aux intérêts opposés : les travailleurs et les désœuvrés. Il s'agit d'une structure narrative dédoublée, selon deux réseaux.

Il y a le pôle autobiographique (en référence au film précédent d'Arcand : *On est au coton*) qui véhicule des problèmes sociaux, à savoir les conditions de travail des ouvriers du textile et aussi la viabilité du cinéma direct ou d'intervention. Il y a ensuite le pôle imaginaire (en référence au cinéma d'aventure) qui véhicule des incidences commerciales, à savoir l'attrait des vedettes (Céline Lomez, Claude Blanchard, Donald Lautrec) et l'attrait de la violence et du sexe, sur lesquels s'est appuyée la publicité.

Le tournage du documentaire vise donc à subvertir le propos commercial, à l'orienter vers la réflexion. Les chevauchements entre les deux réseaux proposent un travail de lecture critique. Pendant le strip-tease de Gina, Dolorès raconte le plaisir du travail honnête et la satisfaction d'être pauvre. Le viol de Gina par les quinze motoneigistes est suivi du récit de la répression policière lors de la grève des ouvriers en 1952. Il y a même deux moments de fusion entre les récits : la scène où Gina sert d'interprète aux ouvriers colombiens, et celle où Gina et Dolorès comparent leur salaire devant le miroir. Mais les rapprochements relèvent peut-être plus de la métaphore que de l'analyse, et il est certain que le tournage du documentaire disparaît graduellement, pour laisser le champ libre à la vengeance de Gina. Dramatisée de façon très dynamique, celle-ci garantit surtout le défoulement du spectateur.

Le film fournit quand même une analyse intéressante du métier de cinéaste. Par l'impuissance et la démission de l'équipe de tournage, Denys Arcand critique en même temps qu'il justifie sa propre démarche. Ses trois premiers films de fiction débouchent sur la mauvaise conscience. Parce que ses personnages sont incapables de prendre leur destin en main, ils proposent toujours la violence, individuelle et dirigée contre plus faible que soi. Arcand a beau avoir une conscience sociale très vive, il ne croit pas aux solutions politiques (ce qui se vérifie dans ses documentaires).

Le Déclin de l'empire américain (1986) propose une journée dans la vie de quelques universitaires québécois. Ces professeurs d'histoire ne croient plus en rien et méprisent leur fonction d'intellectuels. Ils cultivent le cynisme jusqu'à confondre le déclin de la société et leur décadence. Dans la première moitié du film, les hommes font de la cuisine pendant que les femmes font du culturisme, racontant tous avec plaisir leurs fantasmes sexuels ou leurs baises passées (avec toutes les ethnies).

Ils défendent tous les clichés, aussi bien sur la taille des pénis que sur les microbes des vagins. Leur drôlerie sert à masquer la peur des femmes de se retrouver seules et l'angoisse des hommes face à la sexualité des femmes. Au milieu du film, ils se retrouvent pour continuer le jeu de la vérité et du mensonge. Et leur guerre des sexes brise le dernier couple : parce que Louise a osé défier sa supériorité intellectuelle, Dominique détruit le bonheur de celle-ci en lui révélant les infidélités de son mari.

Le montage organise un discours parmi ces lieux communs justement présentés comme des clichés, ceux d'une génération et d'une époque. Les dialogues sont articulés de façon à ce que les personnages soient confrontés entre eux, ou entre ce qu'ils pensent et ce qu'ils font. Chaque conception (proposée comme une vérité) se retrouve dédoublée, désamorcée, sinon anéantie. Devant cette foule de versions qui se relativisent les unes les autres, le spectateur se voit forcé de faire la part des choses.

Arcand nous refuse toute identification à ses personnages, simples stéréotypes offerts comme des spécimens à observer. Il ne semble pas partager leurs discours puisqu'il ne donne raison à personne (et n'épargne personne). Il exerce son ironie au-dessus de ses personnages, témoin lucide de leur décadence. Sa dérision relève d'une démarche critique dans la mesure où il propose une nouvelle morale dans le film suivant.

Jésus de Montréal (1989) propose quatre séquences de six scènes chacune. Dans la première demi-heure, Daniel Coulombe prépare une reconstitution théâtrale de la Passion du Christ sur le mont Royal et recrute des comédiens sans gloire ni fortune mais entièrement dévoués au théâtre. Dans la deuxième séquence, cette représentation de la Passion démystifie le Christ des Évangiles, ce qui scandalise les autorités religieuses.

Dans la troisième demi-heure, on bascule de la montagne à la ville car Daniel Coulombe se met à vivre sa Passion à lui : il chasse les vendeurs, se voit jugé et condamné pour ses actes, puis ses disciples se retrouvent congédiés. Dans la dernière séquence, les jeunes comédiens rejouent la Passion malgré l'interdiction des autorités et Daniel Coulombe meurt sur la croix... avant de ressusciter par la communion.

Le film élabore un parallèle, à l'intérieur de la représentation théâtrale, entre la Passion du Christ selon les Évangiles et la version des scientifiques ; il dresse aussi un parallèle entre la Passion du Christ au théâtre et celle de Daniel Coulombe dans la réalité. Les rapprochements s'exercent d'abord chez les personnages, entre le comédien Berger et Jean-Baptiste, entre Martin Durocher et l'apôtre Pierre, René Sylvestre et Thomas, Mireille et Marie-Madeleine, l'abbé Leclerc et Judas, etc.

Le film articule d'autres recoupements : la dernière Cène autour d'une pizza, l'affiche qui découpe la tête de Berger, la résurrection par le don d'organes, ou l'avocat Cardinal qui, du haut d'une tour à bureaux, offre à Daniel Coulombe le succès et le pouvoir s'il accepte de se prostituer, comme sur la montagne Satan a offert à Jésus le pouvoir de dominer le monde s'il acceptait de se prosterner devant lui.

Mais cette transposition de l'histoire du Christ dans le Montréal d'aujourd'hui permet surtout d'élargir le propos, jusqu'à déplacer le sujet. Chaque personnage exemplifie les valeurs de notre société (l'arrivisme, le culte des apparences, le journalisme lèche-cul, etc.) et fournit l'occasion d'élaborer un discours sur les valeurs spirituelles ou artistiques toujours corrompues par l'argent et l'individualisme.

Le véritable sujet du film devient donc les difficultés pour un acteur de vivre décemment de son métier au Québec. La religion étant réduite à un simulacre, l'art devient une valeur de remplacement. Coulombe transpose la foi chrétienne dans la pureté artistique, devenue valeur spirituelle. Il recrute des disciples qui vendent leur corps et leur voix à des producteurs ou des avocats qui ont dévoyé l'art en showbiz.

L'idéal de création des jeunes leur permet de conserver une part d'âme, une certaine dignité, qu'ils essaient de préserver en évitant d'être récupérés. Les deux comédiennes qui dans le générique du début chantent le *Stabat Mater* de Pergolèse à l'Oratoire (sur la montagne), se retrouvent dans le générique de la fin en train de chanter dans le métro... parce qu'elles ont refusé au milieu du film de vendre leur cul pour une publicité de bière.

Arcand pratique le parallélisme et aussi le détournement. Il glisse un monologue d'*Hamlet* dans la scène de la mise au tombeau et fait dire à Ponce Pilate : « J'ai toujours pensé qu'un prêtre était soit un idiot, soit un profiteur. » Il justifie même son projet par la déclaration d'un prêtre, au tiers du film : « Vous autres, les comédiens, vous pouvez dire n'importe quoi » et celle de l'abbé Leclerc, au deuxième tiers du film : « On peut faire dire n'importe quoi aux Évangiles, je le sais par expérience. »

Si cette mise en perspective de la figure mythique du Christ semble livrer un message d'amour universel, le cinéaste relativise quand même les vérités bibliques par l'histoire de l'univers (le big-bang) et restreint l'importance de la religion par la conception qu'en a l'abbé Leclerc (une consolation pour les miséreux). S'étant réservé dans le film le rôle de juge, Arcand filme de haut, comme s'il ne se sentait pas vraiment impliqué. Il s'amuse à confronter les pièces à conviction, il compare, mesure... et force le spectateur à exercer un jugement critique.

CHAPITRE 10

LES CINÉMAS NATIONAUX DANS LES ANNÉES 1970

LES CINÉMAS NATIONAUX ne constituent plus une tendance parmi d'autres mais plutôt la vague de fond du cinéma des années 1970. En effet, les diverses tendances du cinéma social se définissent justement par leur façon de s'inscrire dans une réalité particulière. Cette volonté de témoigner de l'imaginaire collectif et aussi de contribuer à la culture de leur pays se retrouve dans toutes les cinématographies.

Les cinémas suisse, chilien et australien, ceux du Maghreb, d'Afrique noire et du Moyen-Orient s'ajoutent à ceux qui ont surgi dans les années 1960. De plus en plus nombreux, les cinémas nationaux s'avèrent trop différents pour être englobés dans un même courant artistique. L'originalité de chacun se vérifie en comparant, par exemple, les cinémas suisse, polonais et bolivien.

Pour débarrasser la Suisse de son image folklorique, les films de Tanner (à qui nous avons consacré un chapitre), les films de Claude Goretta, *Le Fou* (1970), *L'Invitation* (1972),

Pas si méchant que ça (1975), ceux de Michel Soutter, *James ou pas* (1970), *Les Arpenteurs* (1972), *L'Escapade* (1975), et d'autres dénoncent le mythe du pays prospère et confortable en soulignant l'aliénation derrière la façade. Dans le pays de la stabilité et de la prudence, les cinéastes proposent des personnages qui refusent le confort matériel comme seule valeur.

Partagés entre l'envie de partir et le besoin de vivre autrement, ces personnages remettent en question le conservatisme et le conformisme de leur société. Leur révolte, toujours individuelle, permet d'explorer l'âme helvétique dans ce qu'elle a de plus significatif : la peur du changement et le repli sur soi. Les cinéastes se contentent des anecdotes les plus banales mais leur description du quotidien s'exerce tout en nuances. Entre le direct et la fiction, ils se permettent la spontanéité et l'improvisation. Entre le fait divers et la fable, ils cultivent le sarcasme et l'ironie.

L'Invitation est un modèle de ce cinéma des comportements. À la mort de sa mère, un modeste employé de bureau hérite d'une riche villa. Espérant gagner leur estime, il invite ses collègues de travail. Se sentant déclassés, ceux-ci sont jaloux, mais constipés, ils protègent les règles de la courtoisie et les rapports hiérarchiques. Le soleil et l'alcool aidant, ils passent des jeux inoffensifs aux confidences et finalement à la sensualité. Aline enlève sa robe et Maurice réclame de l'argent en gage…

Le scandale éclate par l'entremise du sous-directeur Lamel qui perçoit toute la dérision de ses valeurs. La permissivité sexuelle et le gaspillage d'argent menacent la respectabilité et les apparences. Il faut réprimer le plaisir et punir l'irresponsabilité. Celle qui a su exprimer ses sentiments sans hypocrisie sera congédiée et tout rentrera dans l'ordre. Restera à savoir

« comment vivre dans une société où il faut s'accommoder de tous ces imbéciles » engendrés par les institutions.

Dans les années 1960, le cinéma polonais était surtout préoccupé par la Deuxième Guerre mondiale et les déterminismes de l'Histoire. Les martyrs polonais assument d'ailleurs leur destin tragique avec dignité. Dans les années 1970, les cinéastes polonais s'intéressent plutôt à la réalité contemporaine et cherchent une juste place pour l'individu dans le régime communiste (de Gierek). Libre et responsable, l'éternelle victime polonaise manifeste alors son désaccord et son « inquiétude morale ».

Dans *L'Homme de marbre* (Andrzej Wajda, 1976), une étudiante en cinéma enquête sur un héros du travail de la période stalinienne. Elle subit la censure de ceux-là mêmes qui ont vécu les purges mais qui, réhabilités, sont maintenant au pouvoir. Dans *Camouflage* (Krzysztof Zanussi, 1977), un professeur cynique tente de corrompre un jeune assistant idéaliste. Il prouve que le mensonge et la manipulation sont les seuls moyens de survivre dans le milieu universitaire polonais.

Dans *La Constante* (K. Zanussi, 1980), un jeune employé revendique le droit de ne pas participer aux magouilles de son patron et de ses collègues. Comme dans beaucoup d'autres films polonais de l'époque, il refuse de payer le prix, celui des compromis, pour s'assurer une carrière. Dans *L'Homme de fer* (A. Wajda, 1981), un journaliste s'infiltre dans Solidarnosc pour discréditer un des dirigeants du syndicat... mais le film démontre plutôt l'intégrité et l'héroïsme de celui-ci.

Dans *Le Hasard* (Krzysztof Kieslowski, 1981), un étudiant expérimente trois destins hypothétiques : devenir un agent du Parti chargé de dénoncer les opposants au régime, devenir un militant catholique très actif dans Solidarnosc, ou encore un médecin uniquement préoccupé par sa vie privée et sa carrière. Finalement, les trois variables du contrat social tolérées par le régime ne mènent nulle part.

Dans ce cinéma des droits de l'homme, des personnages sincères et convaincus sont toujours confrontés à des arrivistes et des profiteurs. Ils réclament plus de justice et de liberté individuelle mais savent qu'il est difficile de réconcilier l'idéal proclamé et la pratique quotidienne. Les films fournissent une certaine critique sociale de l'égoïsme et de l'opportunisme, mais surtout une démonstration de l'ambiguïté morale.

Cinéaste bolivien, Jorge Sanjines tourne ses films en quéchua et en aymara (les Indiens composent 70 % de la population du pays) même si le cinéma n'est accessible qu'aux Espagnols de la capitale. *Le Sang du condor* (1969) raconte l'histoire d'un Indien qui cherche à La Paz l'argent pour payer le sang qui sauverait son frère. Nous voyons en parallèle que celui-ci a été blessé quand il a découvert qu'une clinique médicale américaine stérilisait les femmes de son village sans leur consentement.

Métaphore de la dépossession du pays, le film a soulevé des protestations sur le rôle des Peace Corps dans l'extermination des Indiens. En plus de rémunérer avec des médicaments et des outils les paysans qui ont joué dans son film, Sanjines a vérifié l'impact de ce film dans différents villages. Il a constaté qu'il ne suffisait pas de prendre parti pour les Indiens. Ceux-ci ne comprenaient pas le film et ses mécanismes d'identification. La culture quéchua-aymara n'accepte pas qu'un individu se place au-dessus ou en marge de la société. C'est la communauté qui protège l'individu, ce qui affecte celui-ci affecte tout le monde et l'Histoire est vécue collectivement.

Sanjines a donc adopté un héros collectif dans le film suivant. *Le Courage du peuple* (1971) raconte le massacre en juin

1967 des mineurs de Siglo XX par les mêmes troupes qui assassineront Che Guevara quelques mois plus tard. Cette tuerie avait justement pour but d'empêcher la collusion entre les ouvriers et les guérilleros. Tournée avec les survivants du massacre, la reconstitution propose la communauté des gens du village comme personnage principal.

Dans *L'Ennemi principal* (1972), Sanjines a recours au plan-séquence et surtout au narrateur, celui de la tradition orale quéchua-aymara « dont le rôle est d'anticiper sur l'histoire pour permettre son analyse pendant la narration ». Dans *Hors d'ici* (1977), il adapte encore son esthétique à ses besoins et continue à expliquer les raisons de la misère, les causes de la violence. Cinéaste militant, il signe ses films du nom collectif (son équipe) de *Ukamau*, en l'honneur de son premier film.

En définitive, chaque cinéma national inscrit sa démarche dans sa réalité propre. Le cinéma suisse et les cinémas occidentaux sont préoccupés par l'aliénation engendrée par la société de consommation et le spleen existentiel. Le cinéma polonais et les cinémas de l'Est revendiquent plutôt une certaine marge de liberté et un socialisme à visage humain. Le cinéma bolivien et les cinémas des autres continents, souvent en lutte contre l'impérialisme, parlent de misère sociale et de violence révolutionnaire.

Les cinémas nationaux ont donc des préoccupations particulières selon qu'ils appartiennent à des sociétés d'abondance, à des pays socialistes ou à des sociétés de dépendance. Mais si les cinémas de l'Est revendiquent plus de démocratie, ils le font chacun à leur manière. Comme les cinémas sud-américains luttent contre l'impérialisme chacun à leur façon. À l'intérieur des mêmes régimes politiques ou économiques, il y a des différences culturelles très significatives.

Cette diversité se vérifie en comparant, par exemple, les cinémas allemand et italien.

Le cinéma allemand, c'est d'abord Rainer W. Fassbinder, qui a réalisé près de 40 films en 15 ans. Il accuse la société allemande de préférer l'argent à l'amour dans des mélodrames comme *Le Marchand des quatre-saisons* (1971). Il dénonce les rapports de domination et le racisme dans *Tous les « autres » s'appellent Ali* (1973) ou encore il explore les classes sociales et l'homosexualité dans *Le Droit du plus fort* (1975). Par la suite, Fassbinder privilégie les métaphores politiques.

Le Mariage de Maria Braun (1978), par exemple, raconte le mariage sous les bombes d'une femme qui assure la survie de sa famille en couchant avec le vainqueur. Quand son mari revient de guerre, c'est pour endosser le crime de sa femme et illustrer la séparation du pays par son séjour en prison, au temps de la guerre froide. Maria Braun se permet toutes les alliances pour contribuer au miracle économique sous Adenauer. Comme l'Allemagne, elle paiera de son âme sa réussite matérielle.

Volker Schlöndorff propose toujours des idéalistes en révolte contre les injustices sociales, entre autres dans *L'Honneur perdu de Katharina Blum* (1974) et *Le Tambour* (1979). Werner Herzog s'inscrit dans le romantisme allemand avec ses visionnaires dans *Aguirre, la colère de Dieu* (1972) et ses naïfs dans *L'Énigme de Kaspar Hauser* (1974). Helma Sanders-Brahms défend l'émancipation de la femme dans une société conservatrice et rend hommage à une mère qui traverse les horreurs de la guerre dans *Allemagne, mère blafarde* (1980).

Margarethe von Trotta montre surtout la complicité entre femmes. Dans *Les Années de plomb* (1981), elle raconte l'amitié entre deux sœurs dans les années 1970. Julianne travaille pour une publication féministe et Marianne fait partie d'un groupe terroriste, la Fraction Armée Rouge. Quand celle-ci est emprisonnée, Julianne lui rend régulièrement visite, jusqu'à ce qu'on lui apprenne que sa sœur s'est pendue. Elle commence une enquête pour prouver qu'on l'a tuée... et s'occupe de l'enfant de Marianne, gravement brûlé par un fanatique.

L'histoire de Gudrun Ensslin, terroriste de la bande à Baader, est un prétexte pour montrer le poids du passé sur la génération des années 1970 (celle de la cinéaste). Des flash-back sur l'éducation rigide des deux sœurs pendant les années 1950, années d'oppression sociale et politique, justifient qu'elles aient choisi de contester. Le film refuse l'héritage du nazisme mais illustre les tortures de la mauvaise conscience, préoccupations de presque tout le cinéma allemand de l'époque.

Le cinéma italien, c'est une industrie qui se permet tous les genres, aussi bien le film politique que le western. Dans les années 1960, ce cinéma témoignait des problèmes de la société par la satire la plus décapante. Dans les années 1970, la comédie devient plus grinçante et tourne au drame. Il suffit de comparer les films à sketches *Les Monstres* (1963) et *Les Nouveaux Monstres* (1978) pour vérifier comment la misère a engendré la cruauté. Prêts à tout pour survivre dans un contexte socioéconomique difficile, les personnages sont devenus carrément cyniques.

Les personnages incarnés par Alberto Sordi sont lâches mais fiers de l'être, ils connaissent l'art typiquement italien de s'arranger de tout. Ceux incarnés par Ugo Tognazzi se définissent par leur goût des plaisirs, autant de la table que du sexe. Vittorio Gassman joue la grande gueule, cultivé mais toujours en représentation, pour cacher un profond désarroi. Nino Manfredi, peu intelligent mais astucieux, sait aussi se sacrifier. Tous leurs personnages permettent au public de se reconnaître.

Drame de la jalousie (Ettore Scola, 1970), *Au nom du peuple italien* (Dino Risi, 1972), *Un bourgeois tout petit, petit* (Mario Monicelli, 1977) dénoncent l'infantilisme des Italiens, la fausse honorabilité des puissants et la médiocrité des petits-bourgeois. D'autres films remettent en question la famille, la religion et les institutions sociales. *Pain et Chocolat* (Franco Brusati, 1974) transplante même un Italien en Suisse pour mieux cerner le tempérament national.

La comédie italienne n'est pas seulement drôle et méchante. *Affreux, sales et méchants* (Ettore Scola, 1976) illustre la misère des habitants d'un bidonville de Rome. Contrairement à ceux de *Miracle à Milan* (Vittorio De Sica, 1951), les sous-prolétaires sont aussi corrompus et dépravés que ceux qui les exploitent. Le romantisme s'écrase devant la réalité quand la finale montre, devant le dôme de Saint-Pierre, une fillette enceinte… à cause de la promiscuité et de l'ignorance.

Nous nous sommes tant aimés (Ettore Scola, 1974) raconte même l'histoire de l'Italie depuis la Guerre, à travers l'itinéraire de trois amis épris de la même femme. Les compromis de l'avocat, les échecs de l'intellectuel et l'idéalisme de l'ouvrier s'articulent par ailleurs selon les différentes étapes du cinéma italien. Mais *La Terrasse* (Ettore Scola, 1980) clôture un certain type de comédie à l'italienne par une réflexion sur l'impossibilité de faire du cinéma comique.

Les Italiens ridiculisent leur médiocrité et leurs institutions surtout par la comédie (tous les réalisateurs y ont touché, sauf Antonioni) tandis que les Allemands sont plus préoccupés par leur mauvaise conscience et le conservatisme de leur société, dans des films à thèse ou des plaidoyers. Qu'il s'agisse d'un cinéma de la parole, de l'observation ou de la métaphore, chaque cinématographie a un type de mise en scène spécifique qui témoigne d'une tradition, d'une culture, d'une conception de l'espace et du temps. Mais contentons-nous de revenir aux convergences.

Derrière la diversité des cinémas nationaux, il y a quand même des points communs, surtout dans la façon d'aborder les sujets. Dans leur volonté de comprendre leur société, les cinéastes pratiquent souvent la chronique. Celle-ci s'exerce à travers le portrait d'une famille, d'un groupe ou d'une communauté où les personnages ont tous la même importance, aussi bien en Australie avec *Sunday Too Far Away* (Ken Hannam, 1975), en Algérie avec *Omar Gatlato* (Merzaq Allouache, 1976) ou en Italie avec *L'Arbre aux sabots* (Ermanno Olmi, 1978).

Beaucoup de ces cinémas explorent les étapes d'un apprentissage ou d'un itinéraire, celui d'un individu ou d'un couple. Cette réflexion permet de dégager des convictions à la mesure de leur engagement, aussi bien en Allemagne avec *Feu de paille* (Schlöndorff et von Trotta, 1972), au Québec avec *J.A. Martin, photographe* (Jean Beaudin, 1976) ou en Hongrie avec *L'Éducation de Vera* (Pal Gabor, 1978).

Cette prise de conscience est souvent celle d'un enfant ou d'un adolescent. Son apprentissage souligne les contradictions de la société où il veut s'insérer car le passage à la maturité exige de reconnaître la réalité. Ce thème a été traité aussi bien au Québec avec *Mon oncle Antoine* (Claude Jutra, 1971), en Espagne avec *L'Esprit de la ruche* (Victor Erice, 1973) ou en Hongrie avec *Les Parents du dimanche* (Janos Rozsa, 1979).

Une approche partagée par plusieurs de ces cinématographies est celle de la reconstitution historique. Il s'agit de préserver la mémoire collective, de remettre en question les versions officielles ou de fournir une nouvelle lecture politique des événements, aussi bien en Algérie avec *Chronique des années de braise* (Mohamed Lakhdar-Hamina, 1975), en France avec *Que la fête commence* (Bertrand Tavernier, 1975) ou en Palestine avec *Kafr Kassem* (Burhan Alaouie, 1975).

Il y a aussi des enquêtes, des fables, des paraboles et d'autres approches qui trouvent leur plein épanouissement dans la décennie suivante. Parce qu'ils ont des préoccupations plus artistiques qu'industrielles, les cinéastes refusent habituellement les limites du cinéma de genre au profit d'une plus grande liberté d'expression. Mais ce qui s'avère particulier aux cinémas nationaux des années 1970, c'est leur radicalisation politique, et par le fait même, la réaction des pouvoirs en place.

Dans les pays de l'Est, le Roumain Lucian Pintilie (qui a réalisé *La Reconstitution* en 1969), les Polonais Roman Polanski, Andrzej Zulawski et Jerzy Skolimowski (qui réalisera entre autres *Deep End* en 1970 et *Moonlighting* en 1982), les Tchèques Milos Forman et Ivan Passer, le Yougoslave Dusan Makavejev, et d'autres sont condamnés à l'exil. Par ailleurs beaucoup de cinéastes sont réduits au silence.

En Amérique latine, le Bolivien Jorge Sanjines, les Brésiliens Glauber Rocha et Ruy Guerra, les Chiliens Raul Ruiz et Helvio Soto doivent tourner leurs films à l'étranger. Par exemple, Miguel Littin, qui avait réalisé *La Terre promise* (1973) sous Allende, tournera *Actes de Marusia* (1976) et *Vive le président* (1978) au Mexique. Et beaucoup d'autres cinéastes seront emprisonnés ou portés disparus.

Autre exemple, l'Argentin Fernando Solanas, coréalisateur du film-manifeste *L'Heure des brasiers* (1968), a terminé son film suivant en France, où il tournera d'autres films avant de retourner dans son pays pour réaliser entre autres, *Le Sud* (1988) et *Le Voyage* (1992). Durant le tournage de ce dernier film, allégorie sur les pays d'Amérique latine, Solanas sera d'ailleurs victime d'un attentat.

Ces cinéastes partagent la volonté de faire un cinéma militant, aussi multiforme dans son esthétique que dans ses engagements, mais toujours en réaction contre le cinéma d'évasion de leurs pays respectifs. Certains cinémas nationaux ne sont connus que par un seul cinéaste, par exemple le cinéma sénégalais avec Ousmane Sembène, le cinéma turc avec Yilmaz Güney, le cinéma égyptien avec Youssef Chahine. D'abord écrivain, Ousmane Sembène se consacre au cinéma pour rejoindre les publics même analphabètes. Après *Le Mandat* (1968), il réalise plusieurs films, toujours en butte à la censure. Il dénonce la nouvelle bourgeoisie noire, affairiste et bureaucratique, surtout dans *Xala* (1975). Bien sûr, les films de Sembène n'échappent pas à une certaine volonté didactique, mais loin des discours politiques, ils prennent le relais du conte oral traditionnel et valorisent la culture africaine.

En Turquie, dans les années 1970, il se fait de 200 à 250 films par année, mais seul Yilmaz Güney jouit d'une réputation internationale. Acteur célèbre d'une quarantaine de films, il décide de faire un cinéma de conscientisation. Il transforme les mélodrames obligés en critique de l'ordre social. Mais il alterne entre la réalisation de films et les séjours en prison (il y passera 12 ans). *Le Troupeau* (Zeki Ökten, 1978) et *Yol* (Serif Gören, 1981) seront faits par procuration, selon ses découpages. À l'instar d'un personnage du dernier film, il profite d'une permission pour fuir en France, où il réalise *Le Mur* (1982) sur les prisons turques.

Seul cinéaste arabe connu internationalement, l'Égyptien Youssef Chahine a réalisé jusqu'à maintenant plus de 35 films. Depuis 1950, il fait du cinéma populaire, passant du mélodrame à la fresque historique, du film lyrique (*La Terre,* 1969) au film politique (*Le Moineau,* 1973), jusqu'au film auto-biographique (*Alexandrie, pourquoi?,* 1978). Mais Chahine mélange graduellement tous les genres, élaborant une esthétique aussi particulière que baroque, aussi originale que grandiose. Dans *La Mémoire* (1982), il raconte à la fois son histoire et celle de l'Égypte. La chirurgie cardiaque du personnage-cinéaste justifie la débauche d'anecdotes structurée en mosaïque, dans la liberté la plus totale. Le registre réaliste (la vie de Chahine), le registre fictif (les films qu'il a tournés) et le registre symbolique (les règlements de comptes avec sa mère, sa femme, sa fille) s'entremêlent selon une logique associative.

Le cinéaste mêle les scènes les plus classiques (la première projection à Cannes), les scènes les plus théâtrales (le procès dans la cage thoracique), les scènes les plus oniriques (l'enfant qui se promène dans ses veines) et même les extraits d'archives sur l'Égypte. La modernité du film, celle du déroulement d'une conscience intérieure, enracine l'engagement individuel dans l'imaginaire collectif. Et Chahine enrichit le patrimoine cinématographique mondial, encore récemment, avec *Le Destin* (1996).

Les premiers cinémas nationaux passent graduellement de la reconnaissance culturelle à la revendication politique. Ceux des années 1970, surtout dans les sociétés de dépendance, sont nés dans le militantisme. Souvent créés par la seule volonté des cinéastes, ils se sont tous définis contre le cinéma commercial de leur pays ou contre le cinéma hollywoodien. L'engagement de plusieurs cinéastes a prouvé que le cinéma pouvait faire autre chose que simplement divertir, qu'il pouvait renouveler son langage et aussi contribuer à désaliéner les spectateurs face à la réalité.

Des enfants gâtés de Bertrand Tavernier

Jonas qui aura 25 ans en l'an 2000 d'Alain Tanner

Paris, Texas de Wim Wenders

Speaking Parts d'Atom Egoyan

Jésus de Montréal de Denys Arcand

Trois couleurs Bleu de Krzysztof Kieslowski

Le Chêne de Lucian Pintilie

Underground de Emir Kusturica

LES ANNÉES 1980-1990
ET LE CINÉMA POSTMODERNE

CHAPITRE 11

LES ANNÉES 1980 :
DU MODERNISME
AU POSTMODERNISME

LE CINÉMA DES ANNÉES 1970 avait célébré toutes les formes d'engagement, du marxisme au tiers-mondisme, de l'antipsychiatrie au féminisme, de l'antinucléaire à l'écologie. Celui des années 1980 ne croit plus à la possibilité de transformer la société et encore moins aux solutions politiques. Il reflète plutôt une insatisfaction diffuse, un vide idéologique et affectif, une errance existentielle.

Il y a une sensibilité particulière à la nouvelle société, celle du néolibéralisme. L'individu postmoderne admet la victoire du capitalisme : il reconnaît la disparition de ses idéaux des années 1960-1970 et accepte avec amertume l'instauration des valeurs matérialistes des années 1980. Quand on a perdu le culte des engagements, il reste le culte de soi. Le principe liberté-égalité-fraternité s'est transformé en individualisme-hédonisme-narcissisme.

La révolution politique que réclamaient les militants de Mai 68 n'a pas eu lieu mais la société occidentale a quand même connu une transformation radicale. En effet, la société postmoderne ne croit plus à l'idée de progrès, conçu comme un processus d'émancipation de l'humanité. Le scientisme, l'humanisme et le marxisme, qui promettaient le triomphe de la raison, s'avèrent incapables d'expliquer la complexité du monde.

Si l'Histoire n'a plus de finalité, autant profiter du présent et masquer son désenchantement profond par la consommation et l'hédonisme. Gilles Lipovetsky a expliqué comment ses besoins de satisfaction ont conduit l'individu postmoderne à un narcissisme avancé. Un narcissisme qui se traduit par la désertion du champ social, le besoin de plaire, l'ironie face aux choses, etc. La morale ne se fonde plus sur l'intérêt de la collectivité mais sur soi-même. Et la tolérance s'apparente à une certaine indifférence.

Le personnage de Woody Allen exprime très bien le caractère narcissique de la mentalité postmoderne. À l'image de son public (surtout des intellectuels), il se lamente de la dégradation des valeurs morales et se rassure en traitant les autres d'imbéciles (ou de stéréotypes culturels). Il refuse toute forme d'engagement politique et pratique le doute absolu.

Au lieu de se moquer des institutions, l'humour d'Allen s'exerce contre ceux qui ne pensent pas comme lui. Incapable d'accepter les gens tels qu'ils sont, il les aime dans la mesure où ils se conforment à ses désirs. Il va jusqu'à dire à Annie Hall de ne pas critiquer la masturbation, car « c'est avoir des relations sexuelles avec quelqu'un que j'aime. »

Qu'il s'agisse de la défaite de la culture par la consommation ou de l'accession à la valeur fondamentale de l'accomplissement personnel, l'« ère du vide » engendre des individus à la

fois cyniques face aux relations intimes et malheureux de la superficialité de leur vie affective. Nous nous retrouvons avec des
personnages solitaires qui ne croient plus aux leçons du passé,
encore moins au futur, et qui se laissent dériver.

Nous verrons qu'un certain cinéma témoigne de cette
mentalité nouvelle, celle de la fin des idéologies, du ressentiment qui a suivi. Cette errance existentielle trouve son expression la plus juste dans une tendance que nous appellerons
minimaliste. Angelopoulos, Kaurismäki, Jarmusch et surtout
Wenders ne racontent pas d'histoires mais se contentent d'élaborer des itinéraires. Ils traduisent la schizophrénie de l'époque
par un cinéma du regard, fondé sur les seules capacités expressives de l'image.

Il y aurait aussi un cinéma postmoderne dans le sens
courant du terme, celui d'*après* le moderne. Alors que le
cinéma moderne remettait en question les mécanismes de la
fiction, sinon le cinéma lui-même, le cinéma de consommation
courante retourne au cinéma traditionnel pour le recycler.
L'épuisement du récit classique (qui s'obligeait à interpréter le
monde) engendre un cinéma néoclassique (à la manière des
classiques) qui s'avère surtout maniériste et gratuit parce que
complètement libéré de l'Histoire.

Les années 1980 réussissent à faire passer la publicité pour
un art, inventent le mouvement perpétuel avec le vidéoclip et
vendent le cinéma en cassettes. Les images prolifèrent tellement qu'elles ne renvoient plus qu'à elles-mêmes. Il y a tellement d'images du monde qu'on se retrouve dans un monde
d'images (sans aucun regard pour leur donner un sens). En se
référant davantage à la culture audiovisuelle qu'à la réalité, le
cinéma pratique une esthétique du recyclage, de la citation et
de l'ironie.

À une époque où règnent les copies (on a perdu les originaux), Lucas et Spielberg, par exemple, ont fait fortune en pillant les séries B des années 1930 et 1940, hissées au rang d'un âge d'or mythique. Pratiquant une esthétique de bande dessinée, ils ont surtout infantilisé le cinéma. Ils ont vidé les modèles de leur portée historique en ne copiant que les scènes d'action, ils les ont appauvris de leur portée psychologique en ne conservant que des personnages simplistes et manichéens.

Ils caricaturent des classiques mais dans une version high-tech, bourrée de musique et de trucages. *Star Wars* (1977) a coûté 10 millions de dollars pour 545 effets spéciaux, *The Empire Strikes Back* (1980) en a coûté 25 pour 763 effets spéciaux et *Return of the Jedi* (1983) a coûté 32 millions pour 942 effets spéciaux, ce qui dispense les films de toutes préoccupations sociales ou politiques.

Ces feux d'artifice servent à masquer un cinéma pour enfants. Un prince charmant (vêtu en blanc) délivre une princesse (aussi en blanc) des griffes d'un méchant (en noir) mais découvre qu'il est le fils de son ennemi et le frère de sa bien-aimée. Celle-ci finit par épouser l'ami de son frère... même si les robots s'avèrent les personnages les plus intéressants. Et le talent consistera surtout à détourner le discours critique ou idéologique sur les prouesses technologiques ou financières.

On ne raconte plus d'histoires car il faudrait organiser une causalité entre les scènes et entretenir un suspense dans la durée. Structurée comme une série télévisée, la trilogie *Indiana Jones* servira de modèle, avec sa première scène en guise de pilote du programme et l'accumulation de temps forts autonomes, interchangeables dans le film et d'un film à l'autre (la scène du rocher qui roule ou celle du gong, la scène des serpents ou celle des insectes, la scène des wagonnets ou celle du camion, etc.).

Les histoires sont découpées en tranches, en scènes visuellement audacieuses, et tout est permis pour exercer une esthétique de la séduction. La science-fiction a dégénéré en film à costumes avec la série *Star Trek* et le nouveau genre « heroic fantasy » pille n'importe quoi. À l'instar des jeux Nintendo, *Conan the Barbarian* (John Milius, 1981) recycle la préhistoire, l'Antiquité, le Moyen Âge et le postnucléaire, tout en mélangeant les civilisations arabe, nordique, indienne et même punk.

Nous verrons que Besson et Beineix recyclent la publicité, Carax la Nouvelle Vague française, Lars von Trier l'expressionnisme allemand. Cette tendance que nous appellerons **maniériste** raconte du déjà-vu avec ironie ou désinvolture, pour le plaisir de faire du cinéma. Dans ce monde déréalisé par les médias et particulièrement la télévision, quelques cinéastes interrogent même le devenir de l'homme face aux images. C'est ainsi qu'Egoyan et d'autres pratiquent un cinéma médiatisé.

Au tournant des années 1990, il se dessine aussi une tendance particulière, celle d'un renouvellement du récit. Ce cinéma participe au postmodernisme en proposant l'éclectisme des valeurs et le relativisme des choses. Mais il relève aussi du cinéma moderne en cultivant l'arbitraire des images et en multipliant les points de vue. Certains cinéastes cherchent à raconter des histoires qui n'épuisent pas les significations, en les dédoublant comme *Le Confessionnal* (Robert Lepage, 1995) ou en les démultipliant à l'infini comme *Merci la vie* (Bertrand Blier, 1991).

Même le cinéma hollywoodien risque diverses tentatives, comme celle du film « choral », à plusieurs personnages. Dans *Short Cuts* (1993) et *Ready to Wear* (1995), Robert Altman entremêle plusieurs intrigues qu'il suffit de re-monter dans la continuité diégétique pour comprendre qu'il les entrecoupe surtout pour masquer leur banalité, comme dans un téléroman. Les épisodes n'apportent rien les uns aux autres (sinon élargir la fresque) et pourraient se multiplier à l'infini, jusqu'à l'épuisement du spectateur.

City of Hope (John Sayles, 1991) réussit beaucoup mieux à nous intéresser à quinze personnages sans privilégier un point de vue en particulier, parce qu'il passe graduellement des scènes de groupes à celles d'individus, en confrontation. Et le film témoigne des tensions raciales, de la spéculation immobilière et des problèmes politiques d'une ville du New Jersey à travers l'ascension (ou la chute) sociale et affective des personnages, dans un décor de bâtiments en construction (ou en démolition).

Dans *Groundhog Day* (Harold Ramis, 1993), un présentateur de télévision se trouve coincé dans un dérèglement temporel, condamné à toujours recommencer la même journée (ou le même tableau) pour mieux la connaître et la maîtriser, jusqu'à ce qu'il en sorte (avec la princesse en prime). Selon le principe des jeux vidéo, le spectateur s'amuse à retrouver les mêmes moments et à prévoir des modifications au cours des choses, comme dans d'autres films « virtuellement interactifs ».

En jouant sur les temporalités, *Jacob's Ladder* (Adrian Lyne, 1990), *Twelve Monkeys* (Terry Gilliam, 1995) et *The Sweet Hereafter* (Atom Egoyan, 1997) participent à cette volonté d'élargir les possibilités narratives. Mais quand le cinéma commercial jongle trop avec les codes du récit, comme *Last Action Hero* (John McTiernan, 1992), le public s'avère incapable de suivre, encore moins de comprendre les allusions. S'il veut dominer la consommation internationale, le cinéma hollywoodien ne peut prendre aucun risque « narratif ».

Voilà pourquoi c'est le cinéma venu d'ailleurs qui fournira les plus belles expériences sur les mécanismes du récit. Par exemple, Raul Ruiz raconte des histoires qui se dédoublent, s'annulent ou se diluent dans les digressions. Avec *Les Trois Couronnes du matelot* (1983), *La Ville des pirates* (1984) et *L'Éveillé du pont de l'Alma* (1985), il refuse toute logique, déréalise les choses et pratique un cinéma baroque dans le prolongement de celui de Robbe-Grillet.

Par ailleurs il est significatif que ce réalisateur d'une centaine de films obtienne enfin un certain succès dans les années 1990. *Trois vies et une seule mort* (1995) raconte trois intrigues vécues par le même personnage qui est justement dans l'impossibilité chronologique de vivre ces trois vies, tandis que *Généalogies d'un crime* (1997) raconte deux fois le même crime par des personnages différents, et encore une fois, la structure par enchâssement multiplie les ambiguïtés.

Nous verrons cette tendance (post) moderne qui explore les mécanismes du récit, confronte diverses versions, élabore des hypothèses… et que nous appellerons *relativiste.* Tarkovski, Resnais, Kiarostami et surtout Kieslowski racontent des histoires tout en signalant leur caractère arbitraire. Ces cinéastes pratiquent la mise en abîme, les recoupements, la sérialité, et s'obligent à inscrire leur réflexion à l'intérieur d'un dispositif.

Le postmoderne prend les définitions les plus contradictoires et pourrait aussi signifier *plus* que moderne. L'avant-garde ne cherche plus la spécificité du cinéma mais contamine plutôt les arts les uns par les autres. Jean-Luc Godard, Jean-Marie Straub et d'autres cinéastes intègrent l'opéra, la peinture, le théâtre, la musique ou la vidéo, en signalant les codes, en jouant sur l'intertextualité. Comme le référent devient le langage culturel, cette esthétique du collage relève de la déconstruction.

L'exemple extrême de cette recherche est Peter Greenaway qui raconte des histoires minimales pour y greffer des jeux de mots, des citations, des notes et des références culturelles. Il s'amuse à classifier n'importe quoi, comme si faire le décompte des choses leur donnait une signification quelconque. Ses personnages sont maniaques de taxinomie. Entomologiste, greffier, ornithologue, horticulteur ou médecin légiste, ils recensent les choses comme pour s'approprier le réel.

Mais qu'il s'agisse des douze dessins quadrillés du paysagiste dans *The Draughtsman's Contract* (1982), des milliers de photos des siamois dans *A Zed and Two Noughts* (1985), des centaines de photocopies dans *The Belly of an Architect* (1987) ou des vingt-quatre livres de la Connaissance dans *Prospero's Books* (1991), le délire encyclopédique échoue à rendre compte de la complexité de la réalité.

Dans *Drowning by Numbers* (1988), une mère, sa fille et sa petite-fille (qui s'appellent toutes Cissie Colpitts) noient chacune leur mari dans une baignoire, à la mer, dans une piscine, avec l'aide d'un coroner qui déguise les crimes. Pendant ce temps, la petite fille à la corde à danser compte les étoiles et le petit garçon Smut compte les feuilles dans l'arbre, les abeilles dans la ruche, les poils du chien. Quand il est rendu au chiffre 100, le coroner est noyé à son tour et le film est terminé.

The Cook, the Thief, His Wife and Her Lover (1989) élabore une fable ou un discours sur l'art, le savoir, le pouvoir et la beauté. *The Baby of Macon* (1994) et *The Pillow Book* (1995) cultivent à nouveau la répétition et la symétrie, le trompe-l'œil et les fausses pistes. Peintre et cinéaste expérimental, Greenaway s'attaque à la représentation cinématographique au détriment de la narration, et son cinéma reste assez excentrique pour échapper à toute classification.

Les avant-gardes successives se sont épuisées à toujours vouloir être plus modernes. Godard, Greenaway, Ruiz et d'autres se permettent toutes les audaces, cultivent le baroque ou le surréalisme et surtout jouent avec les pièges de la perception. On peut les appeler postmodernes dans la mesure où ils réhabilitent toutes les esthétiques et mêlent tous les langages, mais chose certaine, leur refus de la narration et leur travail sur la représentation relèvent d'un cinéma expérimental.

CHAPITRE 12

UN CINÉMA MINIMALISTE

LE CINÉMA D'AUTEUR se porte mal au début des années 1980. Beaucoup de cinéastes semblent croire que le cinéma est dépassé, que son langage est saturé. Ils ne croient plus aux histoires, l'innocence n'est plus permise et le cinéma en est réduit à se prendre pour sujet. En 1982, *Passion* de Godard, *Identification d'une femme* d'Antonioni et *L'État des choses* de Wenders racontent l'incapacité d'un cinéaste à tourner son film.

La Rose pourpre du Caire (Woody Allen, 1985) et *Good Morning, Babylonia* (les frères Taviani, 1987) cultivent la nostalgie du cinéma de la période des studios. *Ginger et Fred* (Fellini, 1985) et aussi *Intervista* (Fellini, 1987) soutiennent que le cinéma a été tué par la bêtise télévisuelle. *Splendor* (Ettore Scola, 1989) et *Cinéma Paradiso* (G. Tornatore, 1989) lui rendent même un hommage posthume.

Les années 1980 tournent le dos à l'engagement politique. Tavernier se préoccupe maintenant de peinture avec *Un dimanche à la campagne* (1984) ou de jazz avec *Autour de minuit*

(1986) tandis que Rosi tourne l'opéra *Carmen* (1984). Même Alain Tanner abandonne ses utopies collectives pour se préoccuper de personnages à la dérive. Il propose dans *Les Années Lumière* (1981) une initiation, mais son didactisme est au service d'un rêve, celui de voler comme un oiseau.

Son film *Dans la ville blanche* (1982) raconte l'escale à Lisbonne d'un marin qui pratique le désengagement et surtout l'attente (métaphysique). Paul ne sait pas quoi faire de sa liberté et tourne en rond. Irresponsable, il envoie des films Super 8 à sa femme et vit une relation avec une employée de l'hôtel, qui d'ailleurs le quittera parce qu'il est sans projet. Le rythme du film témoigne de cette suspension de l'espace et du temps (surtout que les horloges tournent à l'envers).

Dans les films suivants, entre autres *Une flamme dans mon cœur* (1987) et *L'Homme qui a perdu son ombre* (1991), Tanner nous fait encore partager l'errance existentielle de marginaux ou d'exilés, souvent trop idéalistes pour être heureux. C'est par la sécheresse de sa mise en scène qu'il témoigne de l'angoisse de ses personnages, toujours impuissants à réaliser leurs rêves. Jusqu'à ce qu'il retrouve (25 ans plus tard) le personnage de Rosemonde dans *Fourbi* (1996).

Theo Angelopoulos abandonne lui aussi la mémoire collective. Il s'intéresse plutôt à l'individu et partage le sentiment d'amertume généralisé. Le désenchantement idéologique vécu par ses personnages les amène à se déplacer, à voyager d'un film à l'autre. Le champ vide, le cadrage frontal et le plan-séquence détruisent l'impression de réalité en présentant les choses comme montrées. La lenteur et la longueur exceptionnelle des plans désigne un manque, une impuissance à dire…

Le Voyage à Cythère (1984) raconte le retour d'URSS du vieux Spyros, révolutionnaire en exil. Dernier survivant d'une lutte politique dont on ne comprend plus le sens, il se retrouve en conflit avec les gens de son village. Comme la nouvelle génération a oublié l'Histoire, il est sans descendance politique. Les classes sociales se sont réconciliées autour de la consommation. Donc le vieux Spyros dérange et sera sacrifié au nom de l'individualisme, refoulé sur un radeau hors des eaux territoriales.

L'Apiculteur (1986) et *Paysage dans le brouillard* (1988) cultivent l'errance existentielle et surtout les longs panoramiques qui explorent l'espace, repoussant les limites du cadre. Mais l'entreprise reste vouée à l'échec (et au silence) car l'essentiel se situe au-delà de l'image (et des mots). Dans *Le Pas suspendu de la cigogne* (1991), le voyageur est bloqué dans une ville frontalière, et quand le temps est suspendu, immobile... il ne reste que la poésie des images.

Dans *Le Regard d'Ulysse* (1995), un cinéaste grec, revenu dans son pays pour présenter son dernier film, part à la recherche de bobines de pellicule tournées au début du siècle par les frères Manakis sur la vie dans les Balkans. Il traverse plusieurs frontières (et plusieurs époques) en quête de l'innocence perdue, celle des premiers regards sur le monde à travers l'objectif d'une caméra. Aussi lents que mesurés, les plans-séquences (moins de 76 en 3 heures) contribuent au caractère contemplatif du film qui renoue en quelque sorte avec la réflexion d'Angelopoulos sur l'Histoire.

D'autres cinéastes font aussi un cinéma d'atmosphère. Prétextant que tout a déjà été dit, ils ne cherchent plus à expliquer la réalité par des histoires. Minimalistes, ils pratiquent l'économie émotionnelle et retrouvent l'innocence de la photographie (souvent en noir et blanc). Wim Wenders affirme d'ailleurs : « Raconter des histoires avec des images, je ne suis pas sûr que ce soit mon boulot. Peut-être parce que, pour moi, les images comptent plus que les histoires. Je dirais même que bien souvent, l'histoire n'est qu'un prétexte pour trouver des images.» *Extérieur nuit* (Jacques Bral, 1979), *Double messieurs* (Jean-François Stévenin, 1985), *Sans toit ni loi* (Agnès Varda, 1985), *Candy Mountain* (Robert Frank, Rudi Wurlitzer, 1987), *À corps perdu* (Léa Pool, 1988) racontent la dérive d'individus qui ne savent plus ce qu'ils veulent. Ces films et plusieurs autres ont ceci de particulier qu'ils participent à une certaine photogénie du désespoir.

Les personnages se contentent souvent d'être là. Ils attendent, sans chercher à comprendre. Leur errance s'exerce dans un monde déréalisé qui n'a plus aucun sens. Ayant rompu avec la société, ils n'ont aucun moment de bonheur (de malheur non plus) et chacun se retrouve seul dans son corps. Ils n'ont aucune relation, ni d'amour ni d'amitié, pas même sexuelle. Quand un couple se croise, c'est quand même pour passer à côté de l'amour.

Les premiers films de Wenders serviront de modèles à tous ces *road movies* qui relèvent moins de l'aventure que de la philosophie. Il s'agit souvent de deux hommes qui ne partagent que leur dérive puisqu'ils n'ont pas grand-chose à se dire. Les personnages ne vont nulle part mais se déplacent pour exister. Ils fuient les sentiments, ne vibrent à rien et n'ont aucun intérêt pour la création, les rapports humains ou la réussite sociale. Ils ne prennent jamais de décision et restent indifférents à tout.

Comme les personnages se défendent bien d'agir, il n'y a aucune intrigue ni suspense. Il y a seulement un rythme, lent, régulier et répétitif. Des plans généraux toujours cadrés de la même façon, des plans-séquences d'égale importance. Les rues désertes et les bâtiments désaffectés, les autoroutes et les motels constituent un univers étrange qui témoigne de la vacuité des personnages. D'ailleurs les cinéastes ne cherchent plus à expliquer les personnages, ils se contentent de les montrer.

L'Américain Jim Jarmusch illustre bien ce cinéma de la pauvreté. Ses personnages sans territoire et sans prise sur leur destin se retrouvent toujours dans des lieux de transition. *Permanent Vacation* (1980) raconte deux jours dans la vie d'un jeune homme à qui il n'arrive rien de particulier. Le vide des personnages se passe de dialogues, sinon ils sont d'une banalité affligeante. Dépouillée et sans aucun romantisme, la mise en scène incite même à confondre New York avec une ville du tiers monde.

Dans *Stranger than Paradise* (1984), Willy est un déraciné incapable de communiquer. Il rencontre sa cousine hongroise, la perd, la retrouve et la perd à nouveau. L'errance s'exerce à trois (avec l'ami de Willy) et montre l'envers du rêve américain, elle semble même se dérouler en Europe de l'Est. Qu'il s'agisse de la chambre de Willy à New York, de la maison de la tante à Cleveland ou du motel en Floride, les décors sont toujours sales, anonymes et vides. Sans hors-champs. Les personnages se réduisent à leurs comportements et pourtant ils ne font pas grand-chose. Sinon se tromper et passer à côté de l'amour.

Dans *Down by Law* (1985), trois individus se rencontrent en prison et s'évadent, pour aller tourner en rond dans une cabane des bayous. Encore une fois, il n'y a pas d'histoire, seulement une accumulation de scènes en plans-séquences très longs et cadrées de la même façon, qui témoignent visuellement de l'enfermement moral d'une génération mal dans sa peau. À la fin, les personnages se séparent comme s'ils ne s'étaient jamais connus.

Dans *Mystery Train* (1988), trois récits minimalistes se déroulent en même temps dans différentes chambres d'un hôtel de Memphis. Le cinéaste retrouve ses personnages schizophréniques mais il ne se passe tellement rien dans cette ville fantôme que Jarmusch témoigne surtout de son désenchantement face au vide qu'il s'acharne à filmer.

Le Finlandais Aki Kaurismäki illustre aussi cette esthétique de l'épure. Il dépouille l'image de tout détail décoratif, de toute ombre inutile et propose une composition en aplat, géométrique. L'ironie de son regard garde ses personnages de minables et de perdants à une certaine distance. Les dialogues sont raréfiés, le jeu des acteurs est retenu et la mise en scène, stylisée. Le cinéaste parle de « néoréalisme moderne ».

Dans *La Fille aux allumettes* (1989), mélodrame d'une fille mal aimée qui n'exprime jamais ses sentiments et qui empoisonne ses parents, la mécanique de l'aliénation est filmée sans aucune pitié, sans aucun voyeurisme non plus. Dans *J'ai engagé un tueur* (1990), un employé de bureau incapable de se suicider engage un tueur pour l'assassiner… toujours dans une mise en scène de la froideur, et de la tristesse.

Au loin s'en vont les nuages (1996) traite des conséquences du chômage sur un couple honnête (donc naïf). Il traverse les situations les plus abracadabrantes avant de retrouver une certaine dignité. Toujours avec une caméra frontale et en plans fixes, le film ne permet aucune identification, aucune sympathie, seulement une présence au monde, une conscience de la réalité. Mais les défauts et la malchance des personnages finissent par les rendre attachants… et si la finale débouche sur la réussite, c'est sur le mode de la dérision.

Cette errance existentielle pratique le vide, peut-être pour faire table rase et retrouver les sentiments les plus élémentaires.

À nos amours (Maurice Pialat, 1983), *Paris, Texas* (Wenders, 1984), *L'Homme dans la lune* (Erik Clausen, 1985) dans lequel un homme cherche sa fille pour se justifier d'avoir tué sa femme, *Un zoo la nuit* (Jean-Claude Lauzon, 1987) où un jeune homme essaie de se donner une image valorisante de son père, etc., laissent croire que cette dérive est issue de l'éclatement de la famille.

Depuis le féminisme, beaucoup d'hommes se sentent coupables et n'osent plus se risquer à dialoguer. Pour se protéger des relations directes, devenues difficiles, les personnages communiquent par films Super 8, par magnétophones et autres gadgets. Les hommes auraient peur des femmes. Et *Les Ailes du désir* (Wim Wenders, 1987) suggère même qu'il faut être un ange pour avoir le droit d'aimer une femme (de façon platonique).

La décennie se termine avec *Brève histoire d'amour* (Kieslowski, 1988), *Monsieur Hire* (Patrice Leconte, 1988) et *Sex, Lies and Videotapes* (Steven Soderbergh, 1989) dans lesquels des hommes, incapables d'avouer leurs sentiments, élaborent des dispositifs pour se permettre d'aimer à distance, en toute innocence. Quand le personnage de Kieslowski se retrouve en présence de celle qu'il épiait, il éjacule dans son pantalon, et se fait dire : « Tu vois, l'amour ce n'est que cela. »

D'ailleurs *Sex, Lies and Videotapes* présente une thérapie, celle d'une femme frigide qui s'est réfugiée dans l'abstinence, et d'un homme impuissant qui s'est réfugié dans le voyeurisme. Après avoir détruit l'équipement vidéo derrière lequel il se cachait et qui les isolait, le couple peut finalement entreprendre une relation authentique. Cette démarche, qui consiste à réinstaurer la morale traditionnelle dans de nouvelles images, s'apparente à celle de Wenders.

Le minimalisme chez Wenders

Dès les années 1970, Wenders réalise des films sur l'errance. Dans *Alice dans les villes* (1973), un reporter photographe traverse l'Allemagne avec une petite fille qui cherche la maison de ses parents. Dans *Faux mouvement* (1975), un écrivain quitte la demeure familiale pour voyager et se retrouve finalement seul à la montagne. Dans *Au fil du temps* (1976), un réparateur de projecteurs de cinéma traverse l'Allemagne avec un inconnu, chacun arrêtant au passage à sa maison familiale.

Inventaire complet des moyens de locomotion, cette trilogie allemande sur l'errance propose le voyage comme fin en soi et cultive une esthétique du mouvement. La dérive des personnages ne propose ni progression ni dégradation mais une simple répétition d'instants successifs. Les protagonistes se déplacent pour aller nulle part, explorant le monde qui les entoure sans jamais lui trouver de sens. Ils se contentent d'être présents, dans un monde où il ne se passe rien.

Dans le prolongement d'Antonioni, Wenders dédramatise… ou du moins désintègre l'action, par l'utilisation de plans-séquences très longs. De toute façon ces marginaux, au passé inutile et à l'avenir incertain, se contentent de faire du surplace, ne sachant pas ce qu'ils cherchent. Ils croisent parfois d'autres nomades, toujours des hommes, mais ne savent surtout pas communiquer. Ils en arrivent même à déclarer « on n'est jamais aussi seul que dans le sexe d'une femme ».

Plaque tournante entre deux trilogies, *L'Ami américain* (1977) s'inscrit dans un genre, le film policier. L'intrigue consiste à faire croire à un encadreur que son cancer le tuera bientôt et qu'en échange d'un meurtre ou deux, on versera une rente à sa femme et à son fils. Malgré une demi-douzaine de meurtres, l'entreprise criminelle devient secondaire puisque nous ne savons rien des victimes, des bandes rivales, des enjeux. Et les personnages principaux cherchent avant tout leur identité. L'originalité de Wenders réside dans la création d'un décalage par rapport aux conventions. L'instigateur du complot est un Américain, avec sa Thunderbird, ses Corn Flakes et son Polaroïd. Trafiquant de tableaux déguisé en cow-boy, Tom Ripley reste déphasé face à l'aventure dans la mesure où il s'enregistre, se photographie et s'interroge sur le sens de la vie. Il enclenche une mécanique criminelle pour ensuite s'attacher à la victime, jusqu'à voler à sa rescousse et réclamer son amitié.

Celui qui vend son âme est un allemand sédentaire, Jonathan Zimmermann, encadreur paisible qui mène une vie honnête avec sa famille, entre son atelier et son appartement. Il s'avère graduellement décalé face au quotidien. Tueur amateur, il se blesse lui-même ; il tue d'abord pour l'héritage, puis finalement pour le plaisir. Il devient étranger à tout, aussi bien à sa famille qu'à Ripley. Bref, les fonctions s'inversent et l'homme libre devient responsable tandis que l'homme responsable devient libre.

Wenders a distribué des rôles à huit cinéastes, certaines scènes font référence à des films-cultes, les personnages s'échangent un stéréoscope, un zootrope, un scopitone, etc. Mais si le film s'avère conscient de lui-même, c'est beaucoup plus parce qu'il désintègre l'action pour rendre le spectateur sensible à la singularité de la mise en scène. Les cadrages au grand angulaire et les éclairages expressionnistes témoignent d'une esthétique du faux, par des images qui s'affichent comme telles.

Les couleurs départagent le quotidien en dominantes chaudes (le brun pour l'atelier, le rouge pour la chambre) et l'aventure en dominantes froides (le bleu pour les scènes de rue, le vert pour la salle de billard). Les lieux deviennent des décors et même la ville de Paris se fait étrange, irréelle. Le montage escamote des explications essentielles à la compréhension de l'intrigue policière, les situations finissent par exister pour elles-mêmes et le spectateur prend conscience qu'on lui raconte une histoire.

L'intrigue policière est mise en abîme par une métaphore qui lui donne un sens. Le personnage de Derwatt ouvre et ferme le film, comme pour le commenter. Dans son studio de New York, il peint des tableaux posthumes (Jonathan découvre la supercherie), donc des faux qui doivent passer par l'Europe pour obtenir leur cachet d'authenticité, un peu comme le film lui-même, un faux film européen qui devra passer par les États-Unis pour que la réputation de grand cinéaste de Wenders soit reconnue.

L'Ami américain raconte la manipulation d'un Allemand par un Américain, ou l'histoire d'un Américain qui demande « un supplément d'âme » à un Allemand (sur le dos de sa femme). De la même façon que Jonathan vend son âme pour de l'argent, Wenders subordonne ses thèmes et ses obsessions à l'univers d'un genre hollywoodien. De la même façon que Jonathan se retrouve piégé et manipulé, Wenders tourne son film en anglais pour satisfaire aux lois d'un marché dominé par les Américains.

La trilogie suivante fusionne encore l'errance existentielle avec les références au cinéma. *Nick's Movie* (1980) filme la maladie et la mort du cinéaste Nicholas Ray, *Hammett* (1982) rend hommage au film noir et *L'État des choses* (1983) se préoccupe d'un cinéaste incapable de mener à terme le tournage de son film, un peu comme Wenders qui semble tourner en rond. Mais le film suivant, *Paris, Texas* (1984) détourne lui aussi un genre pour proposer quelque chose de particulier.

Dans la première partie, Travis surgit du désert en quête de son identité. Il traîne avec lui une photo du lieu où il aurait été conçu (Paris, Texas) et garde le silence pendant 30 minutes. Son frère Walt le prend en charge, lui réapprend la signification des choses les plus élémentaires et le ramène à Los Angeles. Dans la deuxième partie, Travis essaie de conquérir son fils Hunter. Élevé par Walt et Anne, celui-ci se rapproche de son père grâce à un film de famille et un album de photos. Travis se cherche une image de père et apprend que sa femme Jane est à Houston.

Dans la troisième partie, Travis part à la recherche de Jane avec son fils Hunter. Ils la retrouvent, elle travaille dans un *peep-show*. Sans lui révéler son identité, Travis la traite de putain. Il se sauve, se saoule et couché sur un canapé, raconte à Hunter la blague de son père qui laissait croire que sa propre femme était une putain. Dans la quatrième partie, Travis retrouve Jane et ils s'expliquent enfin les malentendus qu'ils ont eus. Il la convainc de retrouver leur fils, à qui il a laissé un message d'amour sur cassette, puis il s'en retourne seul dans la nuit.

Mélodrame familial, le film propose une mère de substitution sèche et inquiète et une vraie mère auréolée de la tendresse du souvenir, aussi un enfant qui se retrouve l'otage de faux parents qui se sépareront parce qu'il n'est plus là et de vrais parents qui se séparent même s'il est là, et enfin un père qui quitte son désert pour venir rappeler à la femme sa mission profonde, celle de materner. Mais il se considère lui-même comme un obstacle à l'amour entre sa femme et son fils…

La scène du *peep-show* est particulièrement significative. Séparés par un miroir sans tain, ils se confessent sans se voir, se tournant le dos chacun leur tour. Le lieu de la simulation devient le lieu de la vérité : la pornographie ne consiste plus à assouvir un besoin sexuel mais plutôt à communiquer. D'ailleurs les gens se parlent surtout par film Super 8, par téléphone, par magnétophone, par walkie-talkie, par interphone. Bien que *Paris, Texas* soit un film sur la nécessité et la difficulté de communiquer, la finale propose surtout l'incapacité de l'homme d'accepter l'amour.

La quête de Travis s'enrichit d'une histoire sous-entendue, celle d'une conscience malheureuse à la recherche de la raison de sa détresse. Wenders dilate la durée puisque le film n'a d'autres péripéties que trois rencontres en deux heures et demie. Cet apprentissage du quotidien ne garde de l'intrigue que les moments nécessaires à la signification. La mise en scène cultive le minimalisme. L'aventure reste celle des sentiments les plus élémentaires, des paroles les plus justes. La photogénie des choses et la plénitude de la durée nous ramènent à l'essentiel, la difficulté de vivre.

Dans *Les Ailes du désir* (1987), Wenders retourne en Allemagne et utilise le mur de Berlin comme décor pour élaborer un conte philosophique mettant en scène des anges. Complètement désincarnés, ceux-ci ne ressentent rien, ils en sont même réduits à voir les choses en noir et blanc. Ils ont la possibilité d'écouter les pensées des gens, ce qui ne leur sert à rien. Plus décoratifs que mystiques, ces anges symbolisent au plus l'innocence car seuls les enfants peuvent les apercevoir.

L'anecdote plutôt mince de la conversion d'un ange, qui devient humain par amour, permet surtout de faire table rase, de repartir à zéro. Le cinéaste s'arrête, prend du recul, regarde de haut. Tout comme l'ange qui découvre le plaisir d'une tasse de café et d'une cigarette, Wenders retrouve le plaisir de la première fois, le désir de continuer à faire du cinéma, de raconter encore quelque chose.

Le cinéaste compense le minimalisme du récit et l'angé-
lisme des personnages par la beauté des images et la poésie du
commentaire (signé Peter Handke). Et la femme s'avère enfin
porteuse d'espoir. Un ange déchu et une trapéziste en chômage
deviennent la promesse d'un nouveau couple. *Les Ailes du désir*
finit par la mention « à suivre » car Wenders propose le début
d'une histoire d'amour, d'ailleurs à l'origine de toute fiction.

Entre le film policier et la science-fiction, *Jusqu'au bout du
monde* (1991) raconte un voyage à travers la planète en vue
d'amasser des images du monde pour une machine qui permettrait aux aveugles de voir (et même de visualiser les rêves).

Wenders interroge le devenir de l'homme face aux nouvelles
images, surtout dans *The End of Violence* (1997). Mais c'est
Atom Egoyan qui explorera le mieux cette nouvelle relation des
gens avec les images dans un monde médiatisé.

CHAPITRE 13

UN CINÉMA MANIÉRISTE

DEPUIS LA MORT PRÉSUMÉE des idéologies, le cinéma traditionnel ne croit plus pouvoir expliquer le monde par des récits. Il compose de belles scènes, au détriment de la dramaturgie, et cultive les arabesques ou les prouesses visuelles qui surchargent le récit jusqu'à le diluer. En France, les néobaroques Beineix, Besson et Carax pillent surtout le style publicitaire puisqu'ils maquillent leur produit, ne se préoccupant que de la présentation. Tout est permis (donc n'importe quoi) pour séduire.

Jean-Jacques Beineix inscrit *Diva* (1981) dans le genre policier parce que celui-ci reste le plus grand réservoir de clichés et de stéréotypes. D'abord composition visuelle, *La Lune dans le caniveau* (1983) cultive le trompe-l'œil, comme en peinture, jusqu'à faire passer ses décors naturels pour des décors de théâtre. Dans *37°2 le matin* (1986), la virtuosité de la mise en scène masque encore la faiblesse du scénario et les personnages sont noyés dans le délire décoratif de Beineix.

Les cinéastes maniéristes déréalisent le monde par la sophistication des décors. Luc Besson participe à cette esthétique de l'image chromée, bleutée, glacée. *Subway* (1985) n'a pas grand-chose à offrir que son *look*, celui de ses images artificielles, reconnues comme factices. L'intrigue reste secondaire, simple prétexte à faire des images, et le cinéaste multiplie les références cinéphiliques pour montrer son savoir-faire.

Le Grand Bleu (1987), qui raconte une histoire d'amour chez les hommes-grenouilles, doit son succès moins à l'intensité des sentiments qu'à la dimension plastique et sonore de sa mise en scène. Besson cultive le travelling avant pour nous plonger dans l'image. En immersion dans un bain visuel et sonore, continuellement soumis au vertige, le spectateur n'a plus de point de vue particulier (donc plus d'opinion). Il se retrouve dans une esthétique de l'impression, de la sensation pure.

Alors que le cinéma classique justifiait toujours un mouvement de caméra ou un angle de prise de vue par des considérations de contenu, le nouveau cinéma pratique la gratuité. Il se préoccupe moins des événements qui ont des conséquences sur la logique narrative que de la beauté visuelle des scènes, souvent éclairées au néon. Débarrassé de toute obligation de comprendre, le spectateur peut se contenter de vibrer aux images.

S'il adopte une esthétique publicitaire, ce cinéma propose, par contre, une vision désespérée d'individus qui étouffent dans un univers dépourvu d'idéal. Les personnages s'avèrent incapables d'aimer et même de communiquer. Condamnés à la solitude, ils donnent un sens à leur existence dérisoire par la vénération d'un art quelconque. La diva, chez Beineix, refuse de commercialiser sa voix et le jeune postier la lui vole en cassette uniquement pour le plaisir de l'écouter. La création artistique reste en effet la seule chose non monnayable.

Léos Carax n'est pas moins clinquant parce que son héritage vient de la Nouvelle Vague française. Mais il reste celui qui a su le mieux traduire la nostalgie des sentiments perdus en se servant des images des autres. La difficulté de vivre de ses personnages n'est pas complètement refoulée derrière les artifices de la mise en scène. Et Carax exprime autant le romantisme plutôt cynique des années 1980 que sa propre subjectivité.

Boy Meets Girl (1983) ne se déroule pas selon le schéma classique du garçon qui rencontre une fille, en tombe amoureux, la perd, la retrouve et l'épouse. Le film de Carax commence par des séparations de couples (15 min); Alex tourne en rond pendant que Mireille fait des claquettes (30 min); il rôde dans un party pendant que Mireille joue avec des ciseaux (30 min); Alex et Mireille se rencontrent puis se séparent (15 min); il la retrouve, mais trop tard!

Il ne se passe tellement rien qu'Alex collectionne les fois où il a fait quelque chose. Il est tombé amoureux de Mireille à l'entendre parler dans un interphone. Quand ils se rencontrent enfin, aux trois quarts du film, ils se racontent des histoires. Mais Alex reste convaincu qu'il va rater sa vie et Mireille est obsédée par le suicide. Heureusement, l'appauvrissement de leur existence se trouve compensé par la magie du cinéma.

Cet exercice de style montre l'image d'un couple qui tourne sur lui-même, des surimpressions de visages dans le ciel, un appartement éclairé par l'ampoule d'un réfrigérateur, un micro-onde transformé en aquarium, des reflets de machines à boules, un mur vitré avec vue sur un décor, des inserts de pellicule noire, etc., bref des images qui valent pour elles-mêmes. Le spleen de deux jeunes gens qui se sont rencontrés trop tard est présenté comme dans un rêve, sans aucun référent social ou historique.

Mauvais sang (1986) multiplie encore les références, de Godard à Hergé. Dans cette fausse intrigue policière, la lutte entre deux gangs pour une culture de virus s'efface derrière l'amour d'Alex pour Anna, la jeune compagne de celui qui l'a engagé. Les cadrages recherchés et les angles insolites créent un univers qui relève du fantasme. *Les Amants du Pont-Neuf* (1991) propose enfin un amour assez fort pour survivre et le film dépasse l'exercice de style pour devenir poésie.

Le Danois Lars von Trier est un autre de ces créateurs d'images. Il cherche d'un film à l'autre un processus de fascination, une façon de toucher l'inconscient du spectateur. *The Element of Crime* (1984) est moins un film policier qu'une leçon de cinéma, et le récit de l'enquêteur qui veut se mettre dans la peau du criminel finit par se diluer dans ses propres paradoxes, proche de l'exercice de prestidigitation gratuit.

Europa (1991) raconte le retour d'un jeune idéaliste dans l'Allemagne de son père, après la guerre. Le film commence par un travelling avant sur une voie ferrée pendant qu'une voix off affirme, comptant de un à dix, vouloir tenir le spectateur sous hypnose. S'adressant autant au personnage qu'au spectateur, le narrateur se permet tous les artifices (surimpressions, transparences, mélange de noir et blanc avec la couleur) pour élaborer un récit sur la manipulation et les faux-semblants, un récit qui s'apparente à un cauchemar.

Europa copie l'expressionnisme allemand, comme *Shadows and Fog* (Woody Allen) et *Kafka* (Steven Soderbergh), la même année. Dans une série pour la télévision, *The Kingdom* (1994), Lars von Trier cultive les prouesses expressives les plus délirantes dans une simple histoire de parapsychologie et de revenants. Cet exercice lui permet alors d'expérimenter tous les styles et sa maîtrise de la mise en scène par le recyclage finira par servir à quelque chose.

Breaking the Waves (1996) se déroule dans une communauté protestante du nord de l'Écosse. Une jeune fille découvre le plaisir physique en épousant un ouvrier de la plate-forme pétrolière. Paralysé à cause d'un accident, Jan demande à Bess de faire l'amour avec d'autres hommes et de lui raconter ses aventures. Celle-ci en arrive à croire qu'elle pourra sauver son mari en s'humiliant, en offrant son corps en sacrifice.

Tourné avec une caméra à l'épaule, ce mélodrame s'appuie sur des préoccupations moins artificielles et semble enfin prendre les personnages au sérieux (jusqu'à permettre l'identification). Lars von Trier cultive l'ambiguïté morale : Jan pourrait être pervers, Bess pourrait être folle... Le cinéaste met son talent de visionnaire au service d'un mysticisme danois (à la Dreyer) et débouche sur la spiritualité.

Plus souvent, le recyclage consiste à piller un genre de ses scènes les plus fortes. Les frères Joel et Ethan Coen, par exemple, font des *remakes* qui s'apparentent à des exercices de style. Ils multiplient les réactions en chaîne dans *The Hudsucker Proxy* (1994) ou les personnages-prétextes dans *The Big Lebowski* (1997) pour le simple plaisir de raconter. Ils désamorcent leurs modèles par l'humour car ils ne croient pas à ce qu'ils racontent, assumant la gratuité par la dérision.

Cette dérision (souvent confondue avec la conscience critique) trouve son achèvement chez Quentin Tarantino. Et dans l'art d'apprêter les restes, *Pulp Fiction* (1994) s'avère un modèle. À l'instar des dialogues qui sont drôles parce que déconnectés, les scènes de meurtres feraient rire parce qu'elles sont vraiment excessives. La violence serait neutralisée en ce sens qu'on ne la prendrait plus au sérieux (quitte à prendre parti pour ceux qui l'exercent). Et le cinéaste raconte plusieurs histoires pour s'offrir plusieurs morceaux d'anthologie, pour mieux montrer son savoir-faire.

Le film emprunte des situations simplistes : un individu sort avec la femme de son patron, un boxeur défie la pègre en refusant de perdre un combat truqué et deux tueurs cherchent à se débarrasser d'un cadavre. L'audace de la construction (les deux premiers épisodes se dérouleraient diégétiquement en parallèle et le troisième avant les deux autres) sert uniquement à masquer la pauvreté du contenu. Simples caricatures de bandes dessinées, les personnages n'existent que pour tuer ou être tués.

Il n'y a aucun point de vue sur la violence, aucun regard sur ceux qui l'exercent, encore moins sur ceux qui la subissent. Sympathiques, les criminels n'ont aucun sentiment, aucun désir, aucune douleur. Ils tuent, sodomisent, ressuscitent… à la demande. Et même les balles de revolver échappent à la loi de la gravité, comme dans les jeux vidéo. Il n'y a aucun enjeu moral ou esthétique. La réalité est devenue virtuelle, la violence est devenue graphique, une violence de dessin animé (apparemment drôle) offerte en exorcisme face à une réalité qui n'a plus de sens.

Cette surenchère s'explique. Les gens n'ont souvent d'autres expériences des choses que celles que leur présentent les médias. Ils pensent faire du sport en regardant le hockey, faire de la politique en regardant les informations, faire l'amour en regardant un film porno. Reconnaissant que le spectateur est saturé d'images, certains cinéastes voudront le secouer par le recours à la violence montrée. Et quelques-uns présenteront celle-ci comme filmée, sous prétexte de fournir une réflexion.

Dans *C'est arrivé près de chez vous* (Belvaux, Bonzel, Poelvoorde, 1992), une équipe de reporters filme les faits et gestes d'un tueur en série qui commente ses crimes. Fasciné par le charme et la cruauté du tueur, le journaliste perd son esprit critique. Quand son preneur de son se fait tuer, il se contente de dire « Ce sont les risques du métier ». En suivant le tueur sans jamais intervenir, l'équipe de tournage finit par participer aux crimes. Et comme nous nous identifions aux journalistes, nous passons progressivement du rôle de voyeurs à celui de complices.

Lors de la scène du viol collectif, le spectateur ne devrait plus se contenter de regarder. Il devrait sortir de la salle ou éjecter la cassette... à moins de consommer la violence sans jamais l'interroger. Le film propose des scènes toujours plus violentes, et le contrôle passe graduellement de Rémi (le reporter) à Ben (le tueur) qui d'ailleurs recommence la scène du facteur à la table de montage. Le film dénonce finalement moins la violence que notre position de spectateur, notre statut de voyeur, en soulignant notre complicité avec la violence que nous consommons.

Encore une fois, la dérision ne sert pas à prendre nos distances mais nous familiarise avec le tueur jusqu'à rendre hommage à sa bêtise. D'ailleurs il ne suffit pas d'intégrer une équipe de tournage dans un film pour dénoncer la violence. Par exemple, *Natural Born Killers* (Oliver Stone, 1994) accuserait la télévision de glorifier un couple de tueurs. Pourtant le film rend les sadiques plus sympathiques que les victimes. Il nous propose deux heures d'effets spéciaux, d'accélérés et de ralentis, 75 extraits musicaux, 50 meurtres clippés comme dans un porno, bref ce qu'il faut pour rendre la violence fascinante et neutraliser tout esprit critique.

Il ne s'agit pas de réclamer la censure mais tout simplement d'admettre que l'étalage de la violence finit par tomber dans la complaisance. *L'Appât* (Bertrand Tavernier, 1995) se demandera au moins si montrer la violence, ce n'est pas en quelque sorte y contribuer. Bien sûr, le cinéma déréalise de plus en plus le monde pour proposer un univers de dessin animé, une violence graphique, voire chorégraphique chez John Woo. Sous prétexte que les cinéastes pratiquent maintenant la dérision et l'ironie, la violence ne relèverait plus de la morale.

Les images composites, les images de synthèse, le *morphing* et surtout la caméra endoscopique détruiront la conception de l'image en contrechamp et du hors-champ. La réalité virtuelle nous obligera à repenser toutes les théories sur le cinéma. Mais elle ne nous dispensera pas d'un point de vue sur la violence, d'un regard sur le monde. Le cinéma médiatisé devra dépasser le simple dispositif pour offrir une réflexion.

La médiatisation chez Egoyan

Dès 1984, *Jacques et Novembre* (Jean Beaudry et François Bouvier) intègre la vidéo dans le cinéma. Atteint d'une maladie incurable, Jacques élabore son journal intime devant une caméra vidéo. Son ami Denis tourne le matériel complémentaire en 16 mm et Jacques finira par vendre ses biens pour financer le film. La caméra lui permet de se confier au spectateur, le jeu des différents formats l'aide à mieux comprendre les choses et grâce à ce dispositif, il se réconcilie en quelque sorte avec la vie. Cette expérience se verra prolongée, surtout par Atom Egoyan. Comme les cinéastes minimalistes, il propose lui aussi des familles éclatées, des personnages incapables de communiquer et qui, en plus, prétendent être autre chose que ce qu'ils sont. Son cinéma de la solitude et du voyeurisme intègre la vidéo dans son langage. Il pratique la médiatisation d'abord parce que ses personnages sont réduits à visionner la réalité (ou à être surveillés) mais aussi parce que cette déréalisation modifie leurs comportements. Donc les images ne sont plus innocentes.

Family Viewing (1987) aborde ce problème de front. L'acte sexuel étant moins important que sa représentation, le père du personnage principal a la manie de filmer ses ébats amoureux avec sa seconde femme, et en même temps, celle de recevoir des appels érotiques (d'une fille qui sera l'amie de son fils). Comme il se filme caressé par sa femme selon les directives d'une inconnue, celle avec qui il s'accouple ne sert qu'à concrétiser sur la bande magnétoscopique ce que l'autre raconte à distance, et la vidéo se trouve à combler les faiblesses du téléphone.

Comble du dérisoire, le père filme ses ébats sexuels sur des cassettes déjà impressionnées, effaçant ainsi le passé de son fils. En effet, Van découvre sur ces cassettes des parties non effacées de scènes de son enfance. L'image de sa mère, à genoux, ligotée et bâillonnée, le regard implorant, explique l'absence de celleci… et aussi les excentricités sexuelles qu'endure la seconde épouse pour rester près de son beau-fils, dont elle est amoureuse. La mémoire n'est donc plus transmise par le vécu mais par la vidéo.

Parce qu'il a connu sa mère par image vidéo, Van rend souvent visite à sa grand-mère qui croupit dans un hospice. Un jour, il change l'identité de sa grand-mère muette pour celle d'une morte… Comme il s'agit de la mère de son amie Aline, il lui montrera l'enterrement par vidéo. Incapable de communiquer avec son fils, le père le fait surveiller par un détective qui filme tout en vidéo. Mais Van réussira quand même à enlever sa grand-mère (« officiellement » morte) pour reconstituer le noyau familial, avec Aline, et préserver son âme dans cet univers artificiel.

Le film explore cette manipulation par les images. Par exemple, une scène qui se déroule normalement se met subitement en marche arrière, nous révélant qu'il s'agissait d'un enregistrement vidéo. Ou encore, dans le premier plan, des chariots de cafétéria dont on a retiré certains plateaux encadrent à droite un téléviseur allumé, et à gauche le personnage principal, qui vient ensuite changer de chaîne sur l'écran qu'il regarde (le nôtre à l'envers). Comme nous sommes en quelque sorte dans son téléviseur, il s'amuse à nous zapper en alternance avec les cartons du générique.

Certaines images sont tournées en vidéo, d'autres en 16 mm et les textures visent à nous faire sentir que l'image est une construction, à nous faire prendre conscience de notre statut de spectateur. Mais le brouillage témoigne surtout d'une réalité de plus en plus irréelle. Van affirme d'ailleurs : « Tout ce que je fais, je pourrais aussi bien ne pas le faire, ça ne changerait rien ». Il a trouvé dans la technologie un substitut à sa sexualité refoulée et la manipulation des images participe à sa quête d'identité.

Dans *Speaking Parts* (1989), Lance travaille dans un hôtel mais il fait à l'occasion de la figuration dans des films et rêve d'avoir enfin un vrai rôle parlant. Il courtise une scénariste, Clara, qui justement prépare un film. Elle veut raconter la mort de son frère pendant une greffe de poumon (un des siens). Et elle aurait trouvé en Lance l'acteur idéal pour faire revivre son frère, pour incarner ses phantasmes.

À l'hôtel, Lance travaille avec Lisa qui est amoureuse de lui mais dont il ne veut rien savoir. De toute façon, celle-ci préfère emprunter les cassettes des films dans lesquels il a fait de la figuration et se contenter de l'admirer. Un peu comme Clara qui, dans un cimetière-vidéo, se repasse les images qu'elle a tournées de son frère avant qu'il meure. Les deux femmes aiment donc un homme qui existe entièrement par l'image.

Lance et Clara s'excitent chacun de leur côté par l'image de l'autre, se masturbant en vidéoconférence. Le figurant et la scénariste ont ainsi une relation sexuelle purement cathodique, une relation (incestueuse) à distance. Les films d'Egoyan se permettent par ailleurs toutes les fonctions de la télécommande : zapping, effacement, accélération, etc. Ici, le retour en arrière permet même de ressusciter les morts.

Dans *The Adjuster* (1991), les personnages jouent des rôles sans savoir comment mettre fin au simulacre. L'assureur Noah réconforte les victimes d'incendie jusqu'à coucher avec elles. Sa femme Nera travaille au bureau de censure où elle filme en cachette les scènes porno pour les montrer à sa sœur. Et un cinéaste utilise leur maison comme plateau de tournage jusqu'à ce que le couple se retrouve sinistré à son tour.

Dans *Calendar* (1993), le cinéaste fait passer des auditions à des femmes qui l'abandonnent à ses souvenirs. Il se rappelle un voyage en Arménie où il a photographié douze églises pour un calendrier, et filmé la complicité entre le chauffeur-guide (dont il ne parle pas la langue) et sa femme (qui ne lui traduit pas tout). Réfugié derrière son caméscope, il regarde sa femme le quitter... et le film se réduit à son dispositif.

Exotica (1993) tient son nom d'un bar de spectacles érotiques et propose une métaphore de l'univers mental de personnages qui ont tous quelque chose à cacher. Eric, le maître de cérémonie, cache son amour pour Christina qu'il offre tous les soirs aux voyeurs, Francis le client cache une fille morte qui ressemblait à Christina, Thomas cache ses comptes, ses animaux exotiques et son homosexualité. Le film adopte une construction qui nous ramène sans cesse dans les mêmes lieux pour faire graduellement tomber les masques, comme un rituel d'effeuillage.

La prolifération des images, particulièrement par la télévision, semble condamner les années 1980 à une hémorragie du sens. Cette inflation des images engendre une déréalisation. Il n'y a plus de réel, du moins plus aucune expérience de la réalité. Le monde produit par les médias s'appuie sur des images déjà codées et la réalité nous échappe, comme le montre le film autrichien *Benny's Video* (Michael Haneke, 1992).

Un garçon de 14 ans vit dans sa chambre avec un équipement complet de vidéo. Il a remplacé sa fenêtre par un moniteur de télévision et une caméra orientée vers la rue. Il visionne régulièrement une bande vidéo qu'il a tournée lors de la mise à mort d'un cochon avec un pistolet. Un jour, il invite une jeune fille chez lui, ils regardent la cassette en question, puis il la blesse avec le fusil... avant de l'achever « parce qu'elle crie trop ».

Comme il filme tout ce qu'il fait, il montre la cassette du crime à ses parents. Pour éviter le scandale, ceux-ci décident de le couvrir. Pendant que le jeune Benny se retrouve en vacances avec sa mère, le père découpe le corps de la fille et le fait disparaître dans les toilettes. À son retour, le fils dénonce ses parents à la police en leur remettant la cassette de la discussion sur la façon de se débarrasser du cadavre.

Sans aucune analyse psychologique et avec une approche presque documentaire, Haneke réussit à montrer l'absence d'émotions et la banalisation de l'horreur. Qu'il s'agisse d'un cochon, d'une petite fille ou de la guerre du Golfe, un crime en vidéo finit par devenir insignifiant. Les frontières entre la réalité et l'image deviennent de plus en plus floues et Benny en arrive à confondre le réel et sa représentation.

Le cinéaste montre le caractère glacé des relations entre les personnages, surtout que ces relations sont médiatisées, vécues par cassettes magnétoscopiques, par procuration. L'omniprésence des images vidéo conduit les gens à ne plus voir, mais à visionner, et la répétition de ces images finit par déréaliser les choses filmées. L'image de la réalité a finalement plus d'importance que la réalité elle-même. Si bien que beaucoup rêvent de paraître à la télévision… pour exister.

CHAPITRE 14

UN CINÉMA RELATIVISTE

A U TOURNANT DES ANNÉES 1990, une certaine tendance du cinéma pousse le récit à exprimer plus que ce qu'il raconte, à la recherche de valeurs aussi fragiles que mal définies. Certains cinéastes explorent la mécanique narrative, utilisent les variantes en guise d'éléments de réflexion et démontrent surtout la relativité des choses par l'arbitraire des images. C'est comme s'il y avait une deuxième génération de cinéastes modernes.

Andreï Tarkovski a toujours échappé aux préoccupations communistes du cinéma soviétique pour s'intéresser plutôt à l'âme russe, surtout dans *Andreï Roublev* (1966), qui illustrait la perte de la foi chez un peintre d'icônes. Ses films de science-fiction *Solaris* (1972) et *Stalker* (1979) montraient les limites du rationalisme scientifique. Il est donc naturel que *Nostalghia* (1983) et *Le Sacrifice* (1986) défendent la nécessité de la spiritualité contre le progrès matériel.

L'esthétique de Tarkovski se distingue par l'absence de repères spatiaux et de balises temporelles. En dehors de toute civilisation, le cinéaste construit son propre espace, celui où il est maître, observant ses personnages dans une zone, une île, une maison. En dehors du temps, ceux-ci sont détachés de toute contrainte sociale et représentent des types humains : l'intellectuel, le fou, l'enfant, etc. Le plan-séquence se met au service d'une errance intérieure (*Stalker* comporte 142 plans en 161 minutes).

D'ailleurs *Le Sacrifice* confond le perte du sentiment religieux avec la crise d'identité de l'homme moderne. Tourné dans l'île de Farö avec le cameraman (Sven Nykvist) et le comédien (Erland Josephson) fétiches de Bergman, le dernier film de Tarkovski retrouve les préoccupations et la démarche du cinéaste suédois. Il vise à imposer une vision mystique des choses par la seule force des images, et par leur ambiguïté. Il veut repérer les traces de l'invisible dans les situations les plus banales, retrouver le sens du sacré dans une mise en scène très épurée.

La télévision annonce une catastrophe nucléaire qui menace toute la planète. Alexandre, ancien acteur et critique dont on fête l'anniversaire, se fait raconter par le facteur qu'il peut sauver l'humanité s'il passe la nuit avec la bonne, qui aurait des pouvoirs de sorcière. Rien ne permet de trancher s'il s'agit d'une menace réelle ou d'un simple cauchemar. Alexandre remplit quand même sa mission et promet à Dieu de tout sacrifier…

Quand le monde retrouve finalement la paix, Alexandre sacrifie ses biens en incendiant sa maison, mais il est présenté comme fou parce que recueilli par des ambulanciers. Pourtant son fils, qu'une opération aux cordes vocales a rendu aphone, se met à parler au pied d'un arbre mort. L'ambiguïté demeure et le film propose quand même de retrouver son âme par le renoncement aux biens matériels.

Alain Resnais, lui, explore toujours les mécanismes de la fiction. Dans *Mon oncle d'Amérique,* en 1980, il a recours à la déconstruction pour élaborer une réflexion sur la liberté de la conscience. L'univers des trois personnages principaux se trouve enrichi par des retours au passé, leur curriculum vitæ en voix off et des images mentales empruntées à leurs films préférés. Et leurs comportements sont commentés par Henri Laborit, donc expliqués par les (seuls) conditionnements biologiques.

Dans *La Vie est un roman* (1983), *L'Amour à mort* (1984), *Mélo* (1986) et *I Want to Go Home* (1989), Resnais se préoccupe beaucoup plus du jeu des formes que de l'anecdote. Il crée un univers artificiel où tout contribue à briser l'impression de réalité. Chaque film joue à sa façon avec les codes de la représentation et pratique la stylisation. Comme ses films restent ouverts à plusieurs significations, Resnais en arrive à expérimenter la sérialité avec deux films « dont vous êtes le héros ».

Dans *Smoking* et *No Smoking* (1993), le cinéaste s'amuse à imaginer diverses combinaisons du récit, à partir d'une situation donnée. Avec six personnages joués par les deux mêmes comédiens, dans des décors de théâtre assumés comme tels, il explore diverses hypothèses narratives. Selon qu'il s'allume ou non une cigarette, le personnage se voit offrir deux autres possibilités (la visite du jardinier ou celle d'un ami) qui par la suite se dédoubleront… jusqu'aux 12 résolutions finales. Et la méditation sur le libre arbitre démontre finalement que le hasard domine.

En jouant aussi sur le récit, d'autres cinéastes vont forcer le cinéma à plus d'expressivité. C'est souvent par le **triptyque** qu'ils proposent un regard particulier, démultiplié. Contrairement au simple film à sketches, le triptyque revendique un dépassement puisque le récit doit assumer des parallèles ou des recoupements jusqu'au bout. Ces cinéastes élaborent différents épisodes qui s'enrichissent les uns les autres, plusieurs perspectives de la même histoire, ou des histoires qui s'expliquent mutuellement.

Dans *Tombés du ciel* (1990), le Péruvien Lombardi présente trois intrigues en parallèle : un animateur de radio fait l'éloge de la volonté de réussir mais échoue à sauver une suicidaire, un couple de vieillards se ruine pour construire un mausolée et une grand-mère aveugle nourrit un cochon au détriment de ses deux petits-fils. Ces épisodes se complètent par un commentaire radiophonique sur le Destin.

Dans *Le Temps de l'amour* (1990), l'Iranien Makhmalbaf propose trois variations d'une même histoire d'amour (et d'infidélité). Selon la version que l'on choisit, le mari finit par tuer l'amant, l'amant finit par tuer le mari ou les deux hommes se contentent de s'engueuler… et le cinéaste va jusqu'à intervertir les rôles du mari et de l'amant pour enrichir les variations sur la liberté dans une société rigide.

Dans *Les Dimanches de permission* (1993), le Roumain Caranfil propose aussi trois versions d'une histoire vécue différemment par chacun des protagonistes. Il s'agit d'une lycéenne courtisée par un militaire boutonneux mais qui se donne à un comédien en tournée… et parce que le cinéaste complète la perception de chacun par celle des autres, le spectateur en arrive à saisir les conditions d'existence sous Ceaucescu.

Dans *Before the Rain* (1994), le Macédonien Manchevski présente trois épisodes : celui d'un moine qui tombe amoureux d'une fille qui sera tuée par sa famille, celui d'un massacre à Londres, et le retour au pays natal d'un photographe qui essaie de défendre la fille du premier épisode. La structure cyclique dépasse l'anecdote par une métaphore sur l'existence humaine, les conflits ethniques et l'intolérance religieuse.

Dans *Petits arrangements avec les morts* (1994), Pascale Ferran présente le point de vue de trois personnages (Jumbo, François, Zaza) qui observent Vincent en train de construire des châteaux sur la plage. Chacun aura sa dérive intérieure (à la Resnais) avec ses zones d'ombre et la conscience de ses arrangements avec la mort. Encore ici, le triptyque dépasse les aventures individuelles, comme dans *Mystery Train* (Jim Jarmusch, 1988) ou *Journal intime* (Nanni Moretti, 1993).

La démarche d'Abbas Kiarostami se révèle encore plus significative dans ce courant du renouvellement du récit. Le cinéaste iranien cultive la simplicité des dialogues tout en dramatisant les situations les plus banales, parce qu'il cherche à raconter des histoires à partir du réel. Proche du néoréalisme italien, il reconstitue la réalité (ou s'en accommode) et utilise des acteurs non professionnels. Il pratique souvent une mise en abîme du tournage, ce qui lui permet une réflexion continue sur le cinéma.

Dans *Où est la maison de mon ami ?* (1987), un enfant cherche dans le hameau voisin la maison d'un élève de sa classe pour lui remettre son cahier. À la merci de la bêtise des adultes, qui ne saisissent pas la gravité de l'enjeu et se contentent de le sermonner, il arpente l'espace et mesure le temps… Par la rigueur de ses cadrages, Kiarostami semble poser un regard neuf sur les choses. Et l'enfant poussera le sens des responsabilités jusqu'à faire le travail de « l'ami ».

Et la vie continue (1991) propose le voyage d'un cinéaste (et d'un enfant) dans un village ravagé par un tremblement de terre l'année précédente, sous prétexte de retrouver les deux enfants qui avaient joué dans le film *Où est la maison de mon ami ?* Ce documentaire sur la volonté de survie de la population sinistrée (signalé comme reconstitution) se double d'une réflexion sur le mensonge et la vérité du cinéma. D'ailleurs pour éviter le pathos, tout le drame est vu à travers les fenêtres d'une auto, donc à une certaine distance, comme sur un écran.

Au travers des oliviers (1994) reprend une scène du film précédent, celle des jeunes mariés, et l'explore en profondeur. Hossein devient donc l'acteur principal d'un film dans lequel il jouera le mari de celle qu'il aime dans la réalité, Tehereh, et dont on lui refuse la main parce qu'il est pauvre et illettré. Il en profite pour lui faire la cour, en dehors des prises, malgré qu'elle reste muette. Le dispositif s'appuie sur le champ et le hors-champ (en bas de l'escalier, le cinéma et en haut, la réalité) et ne prendra tout son sens que dans le plan final, majestueux.

Cet amour contrarié par les barrières de classes profite du tournage du film dans le film, et Kiarostami profite des interférences pour enrichir son film par l'émotion réelle des personnages, en même temps que le tournage modifie la réalité des comédiens. Dans cette trilogie où chaque film prend sa source dans le film précédent, Kiarostami passe d'un à deux puis trois niveaux narratifs, tout en explorant la représentation de la vérité à l'écran, entre le documentaire et la fiction.

Inspiré par un fait divers, *Gros plan* (1990) raconte comment un simple employé se fait passer pour le cinéaste Makhmalbaf auprès des membres d'une famille riche où il s'installe sous prétexte de préparer un tournage (il leur promet des rôles). Démasqué, l'imposteur plaide l'amour du cinéma. À la sortie du tribunal, il rencontre le vrai Makhmalbaf qui l'amène dans la famille victime, pour se réconcilier.

Kiarostami reconstitue ce qui s'est passé dans la famille (ce qui prouve que le simulateur n'avait pas menti), il filme le vrai procès (ce qui permet au « héros » de faire enfin du cinéma) et provoque la rencontre entre l'imposteur et le cinéaste (ce qui

remet en cause la question de l'identité et le cinéma). Le cinéaste échafaude donc des dispositifs qui interrogent la réalité,
celle-ci n'étant jamais donnée comme telle mais toujours
soumise à l'instance d'un regard (qui en plus se démultiplie).

Son compatriote Mohsen Makhmalbaf pratique lui aussi la
mise en abîme, par exemple dans *Un instant d'innocence* (1996).
Un policier demande à Makhmalbaf de lui donner un rôle
dans son prochain film. Celui-ci lui propose plutôt de mettre
en scène l'attentat dont ils ont été les protagonistes il y a vingt
ans. Militant contre le régime du Shah, Makhmalbaf a en effet
attaqué le policier pour lui voler son arme, en se servant d'une
jeune fille comme appât.

Chacun choisira l'acteur qui l'incarnera. Le policier pense
que le tournage lui permettra de retrouver la fille dont il rêve
depuis l'événement. Le cinéaste veut vérifier si le destin aurait
pu prendre un autre cours. Et la reconstitution engendre une
autre fiction que celle prévue car le policier refuse son rôle…
quand il comprend qu'il a été manipulé, autrefois. Le film
fournit une leçon tant de mise en scène que de liberté.

Qu'il pratique le diptyque, le triptyque ou qu'il illustre le
décalogue, Krzysztof Kieslowski élabore lui aussi des recoupements, des prolongements, des hypothèses. *Le Décalogue* (1988)
offre une série de dix moyens métrages qui relativisent ou inva-
lident les Commandements de Dieu à travers les événements
les plus quotidiens, filmés avec une austérité presque clinique.
Chaque Commandement présente une situation paradoxale
devant donner lieu à l'invention d'une morale personnelle.

Considérées du point de vue moral, les dix paraboles sont
fondées sur le principe du choix. Par exemple, le deuxième film
traite de déontologie médicale au moyen de l'histoire d'une
femme qui demande à un médecin de lui assurer que son mari

va mourir, sinon elle ne gardera pas l'enfant qu'elle attend d'un autre homme ; le quatrième film aborde les tabous sexuels à travers l'histoire d'une fille qui rêve de faire l'amour avec un homme... qui est peut-être son père ; et le septième film propose le problème de l'enfant écartelée entre sa mère naturelle et celle qui l'a élevée.

La démarche du cinéaste est particulièrement évidente dans le cinquième film. *Tu ne tueras point* comporte trois parties d'une demi-heure chacune. Il y a d'abord la présentation des personnages : un chauffeur de taxi qui lave son auto et semble fuir les clients, un jeune homme qui se promène en ville à la recherche d'un taxi et un jeune avocat qui passe une entrevue pour avoir le droit de plaider. Les trajectoires des protagonistes semblent s'entrecroiser selon le hasard, sans aucune volonté narrative.

La deuxième séquence comporte la scène du restaurant où se croisent les personnages, la scène du meurtre du chauffeur par le jeune homme (qui dure huit minutes) et celle où l'avocat répond à Yatzek que tout est fini (car le procès a été complètement escamoté). La troisième séquence montre la préparation minutieuse de la pendaison, la discussion entre l'avocat et le condamné, puis la pendaison elle-même.

L'assassin et sa victime s'avèrent plutôt antipathiques. Le chauffeur de taxi se sauve des clients, lance une invitation tordue à la jeune fille, s'amuse à effrayer les chiens en klaxonnant, tandis que Yatzek laisse quelqu'un se faire battre, bouscule un inconnu dans les toilettes, jette une pierre sur les autos dans un viaduc, s'amuse à salir les vitrines et crache dans son café.

Nous ne connaissons rien des personnages, surtout pas les motivations de Yatzek. Son crime reste d'autant plus violent qu'il est gratuit et prémédité car il songe auparavant à tuer un policier. Son geste ne suscite ni l'indulgence ni l'approbation. Ses confidences sur son sentiment de culpabilité au sujet de la mort tragique de sa sœur ne fournissent pas de circonstances atténuantes, tout au plus des preuves de son humanité. Cette innocence qui n'a pas su s'exprimer n'enlève rien à l'horreur d'un meurtre inexcusable et sans remords.

Les trois premières images du film constituent un programme narratif : le plan d'une assiette sale, le plan d'un rat mort dans un ruisseau et celui d'un chat pendu préfigurent le restaurant de la rencontre, le destin du chauffeur de taxi et celui de Yatzek. Dans le premier tiers du film, Kieslowski accumule une foule de détails (apparemment au hasard) qui neutralisent le récit. Ensuite il se contente d'observer froidement la violence du meurtre, puis celle de la pendaison, sans aucune dramatisation manifeste.

Le film est aussi désespéré que la mise en scène est dépouillée. Le cinéaste dresse un constat clinique en évitant toute échappée romanesque. La caméra évite toutefois le naturalisme par l'utilisation de filtres qui entourent les personnages d'un halo lumineux. Les images, nettes au milieu mais sombres sur les bords, les encerclent dans un cadre réduit, obstrué… Et l'éclairage décline des jaunes, des bruns, des verts sales qui expriment la misère de vivre sans fiction, dans un univers étouffant.

Le montage parallèle ne privilégie aucun des deux protagonistes. Le spectateur ne peut pas adopter le point de vue rassurant du personnage pour lequel il aurait de la sympathie. En nous refusant l'identification, Kieslowski nous renvoie à notre liberté de choix. Surtout qu'il donne une égale importance à la mise à mort individuelle, sauvage, irrationnelle et à la mise à mort sociale, légale, tout aussi barbare avec la minutie de son rituel. La pendaison révolte autant que le meurtre : la violence froide d'un crime absurde et l'hypocrisie de la société qui s'arroge le droit de tuer avec la bénédiction de l'Église sont les deux faces d'une même réalité.

En traitant les deux actes de la même façon, Kieslowski nous oblige à réfléchir, un peu comme l'avocat, forcé de faire un choix entre la volonté de lutter pour la justice et une réalité sociale qu'il ne peut accepter. Celui-ci est conscient que prendre la loi à la lettre conduit à la transgresser justement au nom de la loi. Il est révolté par la mécanique absurde qui punit un crime par un autre crime. Le cinéaste traite donc d'un problème moral sans porter de jugement. Il raconte une fable sans moralité explicite, puisque « le film montre une certaine réalité et [que] la réalité n'est pas morale. »

Dans *Le Décalogue,* chaque histoire se suffit à elle-même mais participe aussi à la série. Tous les personnages vivent dans le même complexe d'habitations. Dans presque tous les films apparaît un observateur muet, le drame repose sur la mort ou la disparition d'un enfant, le personnage a une photo qui témoigne d'un blocage passé ou imaginaire, etc. Et le cinéaste cultive les interventions du hasard pour permettre le réalisme. Dans le premier film, l'enfant compte jusqu'à 10 pour se rassurer tandis qu'à la fin du dernier film, les deux frères s'exclament : « c'est une série! »

Le subjectivisme chez Kieslowski

La Double Vie de Véronique (1991) est un film sur l'intuition et l'impression de déjà-vu. Kieslowski consacre la première demi-heure à la vie de la Polonaise Véronika et l'autre heure à celle de la Française Véronique. Toutes deux sont interprétées par la même comédienne, toutes deux sont en deuil de leur mère et très proches de leur père, elles apprennent la musique de Van Den Budenmayer, elles manipulent une balle de plastique, un tube de rouge à lèvres, une bague…

Les deux vies se répondent mais ne coïncident pas. Attirée par le ciel, Véronika tend souvent son visage vers la pluie, tandis qu'attirée par la terre, Véronique s'assure de la réalité des arbres. Véronika a l'impression de ne pas être seule au monde et Véronique aura un sentiment de deuil quand son double mourra. D'ailleurs Véronique aura elle aussi l'impression « d'être à la fois ici et ailleurs ». Et c'est pour dégager ces correspondances que le film s'articule autour du moment où elles se sont croisées à Cracovie.

Véronika débouche en courant sur une place publique où des touristes montent dans un autocar. Celui-ci tourne sur lui-même pour partir et Véronika le suit des yeux sans bouger. La caméra décrit autour d'elle un large mouvement qui traduit son vertige à la vision de son double. Plus tard nous découvrons dans l'autocar en mouvement Véronique en train de photographier son double sans le savoir. Cette acrobatie visuelle inverse le cours des choses et fournit des points de vue symétriquement opposés.

Quand Véronika raconte à son père qu'elle a l'impression de ne pas être unique, elle s'appuie sur un miroir qui la reflète de dos et nous la voyons justement en double. L'ami de

Véronique participe au mystère en racontant une histoire qu'il pense avoir inventée et qui se révèle être celle de Véronika et Véronique. Et le cinéaste multiplie les arabesques visuelles, surtout dans les scènes de la mort et de l'enterrement de Véronika.

Au delà de la matérialité des choses, la mise en scène cherche à exprimer les pressentiments et les émotions les plus diffuses, à faire accepter le mystère et l'intuition. Avec deux femmes qui ne se connaissent pas mais vivent une communion véritable, Kieslowski expérimente l'intériorité... comme Bergman dans *Persona*.

Après l'inspiration « nouvel âge » de ce diptyque, la trilogie des *Trois couleurs* présente une réflexion plus élaborée sur l'apprentissage douloureux des autres. Chaque film est autonome car il traite d'un thème particulier (la liberté, l'égalité, la fraternité) mais reste orienté vers une signification globale, à savoir la nécessité de l'amour, ou plutôt de la compassion, bien sûr en conflit avec la liberté et l'égalité.

Bleu (1992) commence par un accident d'auto qui prive Julie de son mari et de son fils. Elle coupe tous ses liens et se réfugie dans l'anonymat de Paris pour expérimenter une liberté nouvelle. Elle refuse toute émotion profonde, mais ne peut s'empêcher d'avoir de la sympathie pour l'homme attaqué dans le couloir, pour le joueur de flûte, pour la voisine de palier. Julie installe même la maîtresse de son mari dans sa maison de campagne pour que l'enfant de celle-ci vive ce qu'aurait vécu le sien.

Sa souffrance débouche graduellement sur la compassion. Elle s'ouvre à la communication et assumera finalement ses dons pour la création musicale. Et l'intérêt du film, c'est que l'itinéraire de Julie est sensoriel. Le sentiment de l'absurde s'éprouve par l'étrangeté des objets les plus quotidiens. Une simple tasse de café sera déréalisée par l'hypertrophie du gros plan. L'angoisse de Julie se manifeste dans l'exagération des détails.

En donnant de l'importance à un cube de sucre, elle s'isole dans sa douleur et refuse d'entendre tant une demande en mariage d'Olivier que la musique (non éditée) de son mari jouée par un clochard. Ses perceptions vident les choses de leur sens et la mise en scène cherche à exprimer l'intériorité de l'héroïne. Au début, les bruits de l'accident ont fait voler la réalité en éclats pour Julie, mais plus tard dans le film, le cliquetis du lustre aura quelque chose de mélodieux et la musique prendra graduellement le dessus sur les bruits.

Les personnages sont souvent cadrés dans des écrans de télévision, de *peep-show* ou d'échographie, et les dédoublements, les anamorphoses ou les correspondances contribuent à l'introspection. Kieslowski joue sur la bande sonore, sur la couleur bleue, sur la dimension esthétique de la réalité. Julie fait l'expérience que la liberté n'existe pas et elle reconnaît la nécessité de certaines valeurs, qu'il s'agisse de la richesse des sentiments, de la création artistique ou d'autre chose.

Alors que les deux autres volets proposent une introspection, *Blanc* (1993) offre un vagabondage dont la logique ne se comprend qu'à la fin. Karol est un petit Polonais qui a la chance d'être marié à une Française si belle qu'il se sent diminué. Tout se retourne contre lui, il fait un mariage blanc, sa femme le quitte, il utilise un fusil à blanc, une machine avale même ses cartes d'identité. Il perd sa virilité, son métier, son argent, sa dignité et se retrouve en Pologne, simple déchet jeté au dépotoir.

Karol transgresse alors les Commandements pour atteindre la réussite sociale, pour se sentir égal aux autres et reconquérir son amour. Il est prêt à tout, quitte à mettre en scène sa propre mort. L'itinéraire de Karol s'élabore dans l'absurde. Il est absurde de crever de misère à Paris et de faire fortune à Varsovie, il est absurde de croire que la réussite sociale peut compenser le vide affectif, et il est encore plus absurde que ce soit justement par amour que Karol organise toute cette machination.

Il est absurde que deux personnes qui s'aiment en arrivent à se venger l'une de l'autre, mais Karol croit que l'amour consiste à avoir le sort de l'autre entre les mains. Pour pouvoir aimer Dominique librement, il la fait emprisonner. Cette fable sur la domination amoureuse semble soutenir que l'égalité n'existe pas, hypothèse que Kieslowski devait vérifier même si elle s'élimine par ses deux autres films.

Rouge (1994) raconte l'itinéraire d'un mannequin qui entretient une relation amoureuse par téléphone et celui d'un juge à la retraite qui écoute les conversations téléphoniques. Orgueilleux et cynique, il écoute ses voisins pour se prouver la bêtise des hommes (mais son voyeurisme ne lui procure pas de plaisir), il relativise tout et ne croit surtout pas à la justice. Au contraire, Valentine a une fragilité assumée, elle manifeste de la compassion et prend le risque de l'ouverture aux autres.

Kieslowski propose finalement que l'intuition permet les rapprochements. Le juge devine la tragédie du frère drogué de Valentine et celle-ci devine le drame conjugal du juge. À travers les palpitations les plus secrètes, elle lui apprendra la fraternité. Toutes les audaces visuelles serviront à explorer les états d'âme. Des mouvements de caméra relient les histoires parallèles, quand ils ne suggèrent pas le passé (l'étudiant qui fait les mêmes gestes que le juge ou l'épisode des livres qui tombent).

L'image de Valentine, cheveux mouillés, visage interrogatif tourné vers la gauche sur un fond rouge vif, revient trois fois (la séance de photo, l'affiche publicitaire, le sauvetage à la télévision) sans que jamais elle ne soit rêvée ou imaginée. Le spectateur est donc forcé d'interroger l'image dans sa validité de représentation. Kieslowski pousse l'ironie jusqu'à faire se retrouver dans la scène finale les protagonistes des trois films de la série, et en plus par l'entremise des nouvelles télévisées.

Le cinéaste semble se moquer des nécessités dramatiques ou narratives pour se préoccuper de relations plus sensibles, de plans purement émotifs ou intuitifs. Il cultive les présages et les prémonitions : par exemple, des voisins qui ne se sont jamais vus se rencontrent à 1000 km de chez eux. Les rencontres des personnages relèvent de l'arbitraire, les agencements ou les permutations du récit apparaissent comme de simples accidents de parcours, à la merci du hasard pur et simple.

Kieslowski pratique une esthétique particulière, celle du hasard et de la nécessité. Il cultive le mystère, mais toujours à l'intérieur d'un ordre quelconque, moins aléatoire qu'il n'en a l'air. Il y a une certaine signification entre les coïncidences, concernant moins l'ensemble du système que le parcours des personnages. Le cinéaste a même proposé à son producteur Marin Karmitz de réaliser 17 montages différents de *La Double Vie de Véronique* pour chacune des 17 salles parisiennes où il était lancé.

Les films de Kieslowski trouvent leur sens dans la série. Chaque film s'enrichit des analogies et des différences avec les autres. Sa dernière trilogie s'apparente d'ailleurs aux romans de Kundera par sa structure proche de la composition musicale, avec des variations qui permettent de décliner toutes les possibilités d'un système. Ces variations éclairent un thème par la pluralité des approches et ouvrent à la complexité des points de vue pour élaborer une réflexion jamais définitive.

Si la répétition fournit des repères, c'est aussi pour démontrer la relativité des significations. Chaque Commandement est battu en brèche, la vie de Véronika donne de l'importance à celle de Véronique, et la liberté, l'égalité, la fraternité se relativisent les unes les autres. Pour Kieslowski, seule la morale est susceptible de rendre à chacun sa dignité mais les choix sont toujours individuels, particuliers à chaque situation. À sa mort, en 1996, il préparait une autre trilogie : *Le Ciel, le Purgatoire, l'Enfer*.

CHAPITRE 15

LES CINÉMAS NATIONAUX
DANS LES ANNÉES 1980-1990

LES ANNÉES 1980 marquent un certain recul des cinémas nationaux à cause de la domination commerciale du cinéma américain. Hollywood envahit les écrans de cinéma (et de télévision) moins par la qualité de ses films que parce qu'il a accaparé les réseaux de distribution. Nous aborderons dans notre conclusion cette transformation des règles du jeu. Pour l'instant, reconnaissons que la résistance des cinémas nationaux s'est quand même exercée de façon particulière vers la fin de cette décennie, et cela surtout en Grande-Bretagne et en France.

Le cinéma britannique retrouve sa tradition sociologique avec *My Beautiful Laundrette* (Stephen Frears, 1985). Le film dénonce la mentalité réactionnaire de la société thatchérienne, scandalisée par la réussite financière des immigrants, ici pakistanais, et par l'homosexualité, surtout quand elle est interraciale. *Letter to Brezhnev* (Chris Bernard, 1985), *Distant Voices, Still Lives* (Terence Davies, 1986), *Wish You Were Here* (David

Leland, 1987), *Personal Services* (Terry Jones, 1987) et d'autres films se préoccupent aussi des gens simples, prenant partie pour les victimes de la crise économique et sociale. Les vétérans Loach, Frears et Leigh, qui ont commencé leur carrière dans les années 1960 ou 1970, participent à ce retour du Free Cinema. Ken Loach (à qui nous avons consacré un chapitre) obtient enfin la reconnaissance avec *Riff Raff* (1991) et *Raining Stones* (1993). Stephen Frears entrecoupe sa carrière américaine avec des films intimistes comme *The Snapper* (1993) ou *The Van* (1996). Et Mike Leigh arrive à la maturité avec *Naked* (1993) et *Secrets and Lies* (1996).

Ce cinéaste s'attache à décrire les horreurs de la vie quotidienne, plus particulièrement les carcans de la bienséance et du statut social. Il sait surtout combiner le travail d'écriture et l'implication des comédiens dans la création des personnages. *Secrets and Lies,* par exemple, frise le mélodrame parce qu'il se met complètement à la merci de la parole, de celle que les gens se donnent pour exister, pour ne rien dire, pour ne pas dire les vérités. Et le film évite le misérabilisme en nous montrant un personnage qui se métamorphose sous nos yeux.

C'est l'histoire d'une jeune ophtamologue noire qui veut savoir qui elle est, d'où elle vient. Hortense découvre que sa mère s'appelle Cynthia, qu'elle est blanche, célibataire et hystérique. Leigh ose d'ailleurs nous faire partager leurs retrouvailles par un plan fixe de dix minutes. Hortense découvre par la suite sa demi-sœur, son oncle et sa tante, plutôt frustrée. Bien sûr, l'intérêt du film repose sur les émotions. Les personnages cherchent comment dire les choses, trouvent graduellement leur vérité et deviennent finalement humains… autour d'un barbecue.

Le cinéma français retrouve lui aussi des préoccupations sociales, avec *Un monde sans pitié* (Éric Rochant, 1989) et surtout *Les Nuits fauves* (Cyril Collard, 1992). Les jeunes ci-néastes vont contribuer à faire le portrait d'une génération qui cherche sa place, coincée entre le chômage et la peur de s'enga-ger, entre autres dans *Oublie-moi* (Noémie Lvovski, 1994), *En avoir ou pas* (Laetitia Masson, 1995), *L'Âge des possibles* (Pascale Ferran, 1996).

Les nouveaux cinéastes, tant des femmes que des hommes, souvent des immigrants, toujours des professionnels, prati-quent une mise en scène plutôt traditionnelle, loin de la Nou-velle Vague. Ils abordent la réalité, celle de la violence des enfants abandonnés à eux-mêmes dans *Le Fils du requin* (Agnès Merlet, 1993), la violence des banlieues et du racisme dans *La Haine* (Mathieu Kassovitz, 1995) ou le désœuvrement qui mène jusqu'au crime dans *La Vie de Jésus* (Bruno Dumont, 1997).

Cette nouvelle génération est proche de Pialat dans la mesure où elle pratique un réalisme quasi documentaire, privi-légiant les instants de vérité. Par exemple dans *Nord* (Xavier Beauvois, 1992), film sur le ressentiment d'un jeune homme face à son père alcoolique et taciturne, dans *Les Gens normaux n'ont rien d'exceptionnel* (Laurence Ferreira Barbosa, 1993), aventure filmée à la Cassavetes d'une fille qui décide d'aimer les fous malgré eux, ou dans *Y aura-t-il de la neige à Noël?* (Sandrine Veysset, 1996), fiction sur les conditions de vie à la campagne.

Bien sûr, il faudrait distinguer les démarches d'Arnaud Desplechin, de Manuel Poirier, de Cédric Klapisch… Il fau-drait explorer le réalisme social du cinéma beur, le cinéma des banlieues et celui des régions, par exemple celui de Robert Guédiguian. Depuis 1980, celui-ci a toujours tourné ses films dans le quartier de l'Estaque, à Marseille. Militants, ses person-nages jurent de ne jamais oublier qu'ils sont fils de pauvres et de se battre pour que tout le monde devienne riche sans être capitaliste. *Dieu vomit les tièdes* (1990), *L'Argent fait le bonheur* (1992), *À la vie, à la mort!* (1995) ne sont pas des films sur la politique mais sur des individus qui s'ouvrent aux autres pour se prouver qu'ils sont humains, qui partagent leurs joies et leurs souffrances par solidarité. Guédiguian a même l'audace de faire un film sur le bonheur. *Marius et Jeannette* (1997) raconte l'histoire d'amour de Jeannette, deux fois mariée, deux fois abandonnée, deux fois récompensée, et de Marius, vigile dans une cimenterie devenue cimetière, et qui cache une blessure secrète.

Cette communauté (trois couples et quelques enfants) est aux prises avec des problèmes réels : chômage, racisme, détérioration du tissu social, etc., mais reste quand même capable de s'expliquer l'existence de Dieu, l'intégrisme islamiste et la vraie nature de l'ailloli. Plus proche des utopies de Jonas (Tanner) que du pittoresque de Marius (Pagnol), le discours de Guédiguian s'avère plutôt libertaire et propose l'enthousiasme pour les petites choses car il faut « réenchanter le monde ».

Dans les années 1980, il y a aussi le cinéma yougoslave, avec la nouvelle génération d'Emir Kusturica, Slobodan Sijan et Srdjan Karanovic. Il y a le cinéma soviétique, celui d'après la perestroïka, qui propose aussi bien le réalisme social avec *La Petite Vera* (Vassili Pitchoul, 1988) ou *Taxi Blues* (Pavel Lounguine, 1990) que le réalisme mystique avec *La Liberté, c'est le paradis* (Serguei Bodrov, 1989) ou *Bouge pas, meurs et ressuscite* (Vitali Kanevski, 1990).

Il y a le nouveau cinéma danois avec Erik Clausen, Bille August et d'autres ; le cinéma tunisien avec Ferid Boughedir, Nouri Bouzid et d'autres. Il y a le cinéma argentin autour d'Adolfo Aristarain et le cinéma péruvien autour de Francisco

Lombardi. Et aussi les cinémas africains, particulièrement au Mali avec les films de Souleymane Cissé, comme *Yeleen* (1987), et au Burkina Faso avec ceux d'Idrissa Ouedraogo, comme *Yaaba* (1989), *Tilaï* (1990) et *Samba Traoré* (1992).

Dans les années 1990, le cinéma chinois se fait connaître avec *Épouses et Concubines* (Zhang Yimou, 1991), *Le Cerf-volant bleu* (Tian Zhuangzhuang, 1993) et *Adieu ma concubine* (Chen Kaige, 1993). Il y a aussi les cinémas de Hong-Kong avec Wong Kar-wai, de Taiwan avec Hou Hsiao-hsien, du Japon avec Takeshi Kitano. Sans oublier le nouveau cinéma irlandais autour de Jim Sheridan, le cinéma roumain autour de Lucian Pintilie, le cinéma néo-zélandais autour de Jane Campion et le cinéma iranien autour d'Abbas Kiarostami.

Bien sûr, il est impossible de rendre compte de toutes ces cinématographies. Elles ont chacune leur thématique, leur esthétique, et les cinéastes se définissent souvent contre le cinéma traditionnel de leur pays. Ceux-ci refusent d'ailleurs le catéchisme des genres pour inscrire plus facilement des préoccupations personnelles ou sociales. Nous nous contenterons, à travers quelques films, de dégager certaines constantes dans la façon qu'ils ont de rendre compte de leur culture et de leur mentalité.

Le *réalisme* reste l'approche privilégiée par les cinéastes qui veulent témoigner de leur société. L'honnêteté du regard, celle qui mène à la prise de conscience, s'exerce de façon documentaire dans *Pixote* (Hector Babenco, 1980), sur les enfants abandonnés dans les grandes villes du Brésil (le jeune interprète sera tué par la police quelques années plus tard). C'est aussi le cas de *Salaam Bombay* (Mira Nair, 1988), sur les enfants sacrifiés dans les villes des Indes, ou encore de *La Promesse* (Luc et Jean-Pierre Dardenne, 1996), sur le drame d'un adolescent obligé de se confronter à son père qui exploite les immigrants clandestins en Belgique.

Comme nous l'avons vu, le réalisme s'exerce aussi par rapport au cinéma traditionnel. Il ne s'agit pas de renouveler le mélodrame ou le film policier mais plutôt de l'utiliser pour appâter le spectateur et d'en profiter pour donner un autre point de vue, plus réaliste, plus critique. Voici deux exemples où la démarche sert à mieux comprendre le présent par la connaissance du passé (sans le reconstituer).

L'Histoire officielle (Luis Puenzo, 1984) raconte, dans les derniers mois de la junte, la prise de conscience d'Alicia, professeur d'histoire, qui s'interroge sur les origines de sa fille adoptée, Gaby. Tous les témoignages laissent croire qu'elle aurait été enlevée à sa mère, emprisonnée par les militaires. Le film ne montre pas la « sale guerre » (1976-1983) mais évoque les 30 000 disparus à travers les sentiments d'une bourgeoise qui s'ouvre aux réalités sociales et politiques.

Il s'agit d'une vision « en creux » de la situation justement par ceux qui ne l'ont pas subie. L'histoire non officielle de la dictature n'est pas montrée, seulement suggérée, derrière des portes qui se referment. Les enfants armés envahissent la chambre de Gaby comme les soldats ont dû le faire et celle-ci raconte à sa poupée ce que sa mère a dû lui dire.

Ceux qui ont profité du système refusent d'aider Alicia, contrairement aux victimes. Et le film dépasse le simple mélodrame bourgeois en rendant Alicia (et les siens) responsable (par son silence) de ce qui s'est passé en Argentine. Elle découvre la vérité sur l'origine de sa fille en même temps que le pays découvre la réalité de ses charniers.

Lone Star (John Sayles, 1995) prend des allures de western pour raconter l'enquête d'un jeune shérif sur le meurtre déjà ancien d'un de ses prédécesseurs. Le principal suspect serait son propre père, successeur de la victime. Il découvre graduellement que son père aurait été une crapule, aussi malhonnête que le tyran dont il a pris la place. Pourtant, dans cette ville frontalière entre le Texas et le Mexique, les gens ont créé une légende autour de son père, allant même jusqu'à lui ériger une statue.

Mais la résolution du crime importe moins pour le cinéaste que le portrait de la communauté et la réévaluation du passé. Chaque témoignage détruit le mythe que se sont créé les Blancs et contribue à fournir d'autres versions de l'Histoire. Les Chicanos se rappellent la victoire d'Alamo et aussi qu'ils ont été (et sont encore) des clandestins. Les Noirs se souviennent de la patrouille des Séminoles noirs, issus de croisements entre les esclaves et les Indiens, et aussi de la ségrégation dont ils sont toujours victimes.

Chaque flash-back se fait à l'intérieur du plan, sans aucun signal, comme pour éliminer les frontières entre le présent et le passé, entre le bien et le mal. Il arrive même qu'un flash-back soit vécu par deux protagonistes. Ce chassé-croisé entre plusieurs personnages de races et de générations différentes sert à réévaluer l'Histoire et à dénoncer l'hypocrisie officielle, aussi à expliquer la réalité américaine et à rendre hommage au métissage, jusqu'à fournir le dénouement le plus politiquement incorrect.

Le plus souvent, le témoignage s'exerce par la **chronique sociale,** d'autant plus exigeante qu'elle doit rendre la vérité de chaque personnage. *Le Thé au harem d'Archimède* (Medhi Charef, 1985) cerne les conditions de vie des Arabes dans une banlieue de Paris, *Do the Right Thing* (Spike Lee, 1989) illustre les tensions raciales dans une rue de Brooklyn, et *Once Were*

Warriors (Lee Tamahori, 1994) explore les moyens d'échapper à la violence chez les Maori de la Nouvelle-Zélande.

Mon cher petit village (Jiri Menzel, 1985), par exemple, renoue avec l'esprit des films du Printemps de Prague et sa description amoureuse d'une communauté baigne dans les allusions et les sous-entendus. Pavek, la camionneur épicurien, menace de se séparer de son protégé Otik, « l'attardé fatal ». Les gens s'inquiètent du sort d'Otik et ne comprennent pas non plus pourquoi les autorités le réclament à la ville. Et chaque départ au travail des deux protagonistes élargit la description du village.

Menzel détourne la commande officielle. Au lieu de préparer son avenir, l'étudiant veut se suicider pour une peine d'amour, le vétérinaire se préoccupe surtout de coucher avec la femme d'un autre, le médecin ne prend pas ses patients au sérieux, les ouvriers se battent lors des visites protocolaires et le président de la coopérative accepte le pistonnage pour inscrire son fils à l'École de marine. Il est même prêt à sacrifier le fou du village (Otik) en échange de pièces pour la machinerie agricole.

Mais le village résiste aux politiques venues d'ailleurs. Le film se moque des discours officiels à la télévision et des profiteurs du système qui singent les capitalistes. L'ironie fournit même un nouveau héros du travail... l'homme de plâtre! Non seulement le médecin défie les autorités de la milice en leur cachant le taux d'alcoolémie de Turek, mais il s'en sert pour obliger celui-ci à ne plus battre sa femme. Et tous tentent de convaincre Pavek de ne pas abandonner Otik pour qu'il reste au village.

À travers les scènes les plus magnifiques (la poésie du médecin, la bière sous la septième marche, le film américain à la télévision, etc.), l'essentiel reste la complicité des gens pour défendre le plus démuni d'entre eux. Le bonheur d'un déficient mental s'avère plus important que les combines ou les privilèges des fonctionnaires. La chronique la plus « innocente » retrouve cette conscience sans illusion, cet humour placide et cette sagesse typiques de la mentalité tchèque.

Papa est en voyage d'affaires (Emir Kusturica, 1985) raconte les répercussions de la politique dans une famille de Sarajevo entre 1948 et 1952. Sous prétexte qu'il s'est moqué de Tito (qui pratiquait le même bourrage de crâne que Staline), Mesa est dénoncé par son beau-frère, qui justement lui jalousait sa maîtresse. Il se retrouvera en camp de travail, puis en camp de réhabilitation, avec sa famille. L'originalité, c'est que tout est perçu par Malik, un enfant atteint de somnambulisme.

La chronique est d'autant plus riche que chaque scène comporte une intrigue principale et diverses intrigues parallèles, selon les personnages. Par exemple, la scène de la circoncision raconte en même temps la trahison, l'arrestation, le ballon de foot, le grand-père, etc. La scène finale du mariage raconte aussi la culpabilité, la vengeance, le ballon de foot, le grand-père, etc. La générosité de Kusturica se vérifie dans cette profusion.

Halfaouine ou l'enfant des terrasses (Ferid Boughedir, 1990) est aussi une chronique — c'est le nom d'un quartier populaire de Tunis — vue à travers les yeux d'un enfant, Noura, qui d'ailleurs fera l'apprentissage de la sexualité. Trop vieux pour le monde des femmes (dans la cour) et trop jeune pour le monde des hommes (dans la rue), l'enfant des terrasses se lave encore au hammam des femmes jusqu'à ce qu'il se fasse expulser, sous prétexte de l'indiscrétion de son regard !

Le non-conformisme du cordonnier Salih, la complicité de la divorcée Latifa, l'hystérie de la vieille fille Salouha et l'hypocrisie de cheik Mokhtar contribuent à enrichir cette chronique sur la joie de vivre et la sensualité des femmes tunisiennes. En parallèle aux manifestations du fanatisme politique et religieux (milices, dénonciations, arrestations), Boughedir donne un sens à la réalité par l'imaginaire.

En effet, la mère de Noura lui raconte la légende de l'ogre qui pique les doigts des jeunes vierges pour suivre les traces de sang jusqu'aux maisons et manger les petits garçons. L'enfant sera de plus en plus hanté par ces fantasmes dans lesquels l'ogre est personnifié par le boucher du quartier et la jeune vierge, par la domestique Leila. Quand Noura aura été initié à l'amour, le cheik et le boucher viendront dans la dernière scène chercher la jeune fille pour d'autres missions.

Il y a des approches déguisées comme l'*allégorie* ou la *fable.* Le cinéaste pousse alors la logique jusqu'à la dérision ou l'absurde, quand il ne verse pas dans le grotesque et le délire, et ce pour mieux exprimer l'imaginaire collectif. *Au clair de la lune* (André Forcier, 1982), *Le Repentir* (Tenguiz Abouladzé, 1984), *Youcef* (Mohamed Chouikh, 1994) et beaucoup de films des pays de l'Est ont cultivé le réalisme magique, pour contourner la censure ou s'adresser à l'inconscient du spectateur.

Le Chêne (Lucian Pintilie, 1991) se déroule la dernière année du régime de Ceaucescu, en 1989. Il s'agit de la prise de conscience de la fille d'un colonel de la Securitate en disgrâce. Privilégiée, Nela a fait ses études à Paris, fume des Marlboro, boit du Nescafé et fait du tourisme avec un Polaroïd. Pintilie lui fait visiter toutes les couches de la société roumaine avec Mitica, un médecin qui connaît de l'intérieur l'absurdité du système et reste assez fort moralement pour lutter contre la bêtise.

Dans la première scène, Nela veille la dépouille de son père en regardant un film sur sa famille dans lequel, enfant (environ 15 ans plus tôt), elle s'amuse à simuler qu'elle tue les amis du régime. Dans la dernière scène, elle enterre les cendres de son père sous un chêne en assistant à un spectacle des amis du régime qui massacrent réellement des enfants dans un autobus (en référence à la tuerie du 23 août 1975).

Entre ces deux scènes, il y a cinq séquences qui correspondent chacune à une réalité de ce pays en décomposition. Le couple traverse un univers de taudis sans eau, d'usines délabrées, d'hôpitaux surpeuplés (même de cadavres) et ne rencontrent que des ouvriers violents, des enseignantes tarées, des militaires imbéciles, des administrateurs corrompus... qui se surveillent et se dénoncent les uns les autres.

Pour rendre compte de la misère et de la désorganisation d'un pays dévasté par 45 ans de communisme, Pintilie pratique l'humour noir, et surtout la dérision. Que le couple fasse du camping ou participe à une fête champêtre, dès qu'il parle de politique, il pleut des soldats. Il est absurde que les agents de la Securitate en soient rendus à se préoccuper du cahier personnel d'un illuminé de peur que ses folies se répandent. Il est encore plus absurde que Nela et Mitica leur demandent de les aider à transporter le cercueil de Titi, ce qu'ils acceptent pour pouvoir continuer à les surveiller.

L'absurde fait aussi que Mitica est emprisonné parce que son supérieur l'a dénoncé à son cousin qui, par hasard, est chef de police. Et que Mitica sera libéré parce qu'il a soigné une femme qui, par hasard, est celle du Secrétaire général. Il est donc libéré pour les mêmes raisons qu'il avait été emprisonné, en se faisant dire : « Allez prétendre qu'il n'y a pas de démocratie chez nous ». Par ailleurs, le procureur a plus peur de sa femme que de la puissante Securitate.

Le film cultive le grotesque quand Nela demande une saucisse et se fait répondre : « Soyez une bonne citoyenne, allez chercher un chapeau, une pancarte, un portrait… ou allez pousser un char des réalisations de l'État ». Quand elle proteste, l'officier de police lui répond : « Heureusement que tu as été violée, sinon… ». Plus tard, celui-ci raconte, en auto : « La contestation, l'agitation, c'est de la connerie, de la foutaise. On n'est pas des Hongrois, ni des Polonais, le Roumain est doux. » Et voilà qu'un individu est projeté à travers le pare-brise, sans raison.

Dans cet univers de répression, de censure et de pénurie (on vend les enfants), le couple se trouve décalé. Nela et Mitica refusent la normalisation. Ils osent même vivre un grand amour (sans aucun romantisme). Et à la dernière scène, quand Nela voit que sa sœur, maintenant de la Securitate, commande le massacre, elle comprend qui était réellement son père adoré. Son itinéraire débouche sur l'innocence perdue.

Elle enterre au pied d'un chêne les cendres de son père et celles de photos d'enfants pour que l'arbre se nourrisse (et qu'elle se réconcilie) avec tout ce qui a pu constituer la société roumaine. Sur les cendres de ce passé collectif, elle souhaite un nouveau monde en réclamant un enfant… que Mitica promet de tuer s'il est « normal ». Conscients, Nela et Mitica constituent l'espoir d'une nouvelle Roumanie.

L'allégorie ne relève pas de l'arbitraire mais s'appuie sur une conception de la réalité. Un film comme *Underground* (1995), qui cultive aussi bien le tragique que le burlesque, prend ses sources dans la démarche de son auteur. Emir Kusturica est passé de la chronique la plus simple à l'allégorie la plus délirante. *Te souviens-tu de Dolly Bell ?* (1981), *Papa est en voyage d'affaires* (1985) et *Le Temps des gitans* (1988) abordent la délinquance juvénile, les répercussions du stalinisme et le trafic des enfants à travers l'apprentissage d'un enfant ou d'un adolescent qui pratique l'hypnose, le somnambulisme, la lévitation et la télékinésie. Toutes ces manifestations de l'irrationnel se font de plus en plus envahissantes jusqu'à faire admettre l'imaginaire comme une composante de la réalité. *Le Temps des gitans* transfigure le réel pour mieux filmer l'âme du peuple tzigane et *Arizona Dream* (1992) propose une fable surréaliste dans laquelle les personnages se définissent par leurs rêves. Cinéaste visionnaire, Kusturica exprime l'inconscient par les compositions visuelles et les envolées lyriques les plus audacieuses. Son réalisme magique s'apparente à celui de l'écrivain Gabriel Garcia Marquez.

Underground raconte l'histoire de la Yougoslavie à travers la relation de deux amis, à la fois patriotes et trafiquants, amoureux de la même femme. À la fin de la Deuxième Guerre mondiale, Marko enferme Blacky et les siens au sous-sol en leur faisant croire que la guerre fait toujours rage et qu'ils doivent fabriquer des armes. La supercherie peut être vue comme une métaphore du communisme qui a entretenu le peuple dans l'ignorance en cultivant la peur du monde « extérieur ». Les exploiteurs et les exploités ont d'ailleurs besoin les uns des autres.

Quand Blacky sort, en 1961, c'est pour se retrouver en plein tournage d'un film sur ses exploits de résistant mort au combat. La réalité rejoint la fiction et Kusturica se moque du cinéma officiel qui servait à réécrire l'Histoire. Celle-ci n'a pas évolué puisque trente ans plus tard, à l'effondrement du communisme, les personnages se retrouvent encore en guerre. Et on tourne en rond, dans une sarabande de plus en plus vertigineuse, passant de galeries souterraines qui traversent l'Europe à un coin de pays qui se détache du continent pour partir à la dérive.

La mosaïque est d'autant plus grandiose qu'elle fournit des épisodes autonomes qui font écho ailleurs dans le film. La musique, souvent tzigane, participe au déroulement jusqu'à se matérialiser sous les traits d'un orchestre qui accompagne les personnages, même au fond de l'eau. La démesure fait que des Casques bleus côtoient des trafiquants d'armes, que Marko meurt en flammes dans un fauteuil tournant autour d'un Christ à l'envers, que les personnages ressuscitent pour festoyer et se réconcilier. *Underground,* épopée déchirante d'un pays qui n'existe plus, devait justement s'intituler « Il était une fois un pays ».

Quelle que soit l'approche qu'ils choisissent (il y en a d'autres), les cinémas nationaux dépassent le simple divertissement pour faire connaître des mentalités et des cultures. Sans jamais sous-estimer les spectateurs, ils les aident à comprendre les choses, à aimer les gens, à mieux vivre. Et encore, c'est peut-être là que le langage du cinéma se renouvelle le plus ! Cette tendance mériterait un ouvrage (collectif) à elle seule.

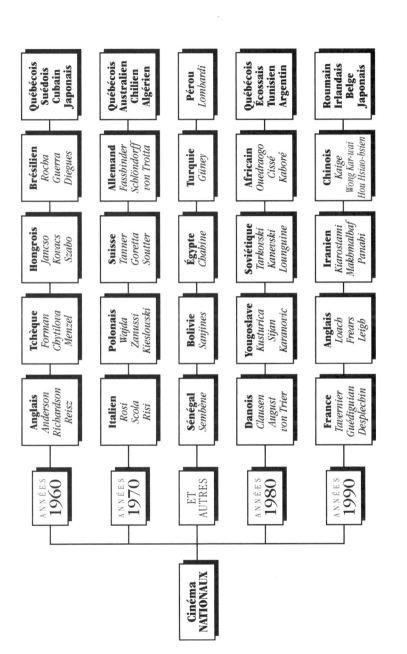

Conclusion

Le cinéma moderne a existé à une époque où le cinéma était considéré comme un art. Une époque où l'industrie du cinéma offrait un éventail assez large pour permettre même des films d'*art et essai*. Dans la transition vers les années 1960, la télévision a aussi forcé le cinéma à s'aérer, à se renouveler, jusqu'à permettre l'avènement des cinémas nationaux. Par la suite, les cinémas réalistes ont voulu participer à la culture de leurs sociétés respectives, convaincus de pouvoir les enrichir et les améliorer.

Dans le prolongement de Mai 68, les cinéastes ont témoigné des préoccupations de tout le monde et ont réussi à dialoguer avec le public. Dans la transition vers les années 1980, les cinémas moderne et sociologique ont dû s'effacer derrière le cinéma commercial qui a tout récupéré et surtout envahi le marché (de l'imaginaire). Hollywood a imposé un cinéma conçu comme pur divertissement, au même titre que les jeux vidéo ou le base-ball. Mais sa force n'est pas celle de ses films.

En effet, Hollywood a su accaparer les réseaux de distribution par des techniques comme le *blind buying* qui force les exploitants de salles à acheter longtemps d'avance des films qu'ils n'ont jamais vus (de toute façon, ils sont tous semblables) et surtout le *block booking* qui les oblige, par contrats d'exclusivité, à acheter des programmes complets de films. Pour obtenir des films-événements comme *Jurassic Park* ou *Titanic,* ils doivent aussi prendre une foule de navets.

Hollywood s'assure ainsi de dominer les écrans à l'aide de films insignifiants qui autrement ne sortiraient jamais, pour de la sorte éliminer la concurrence nationale ou étrangère, et surtout habituer le public à ses produits artificiels (l'intoxication, ça s'entretient). D'ailleurs les nouveaux multiplexes de cinéma servent à présenter *Independence Day* ou le dernier James Bond dans cinq salles sur sept pour permettre de les voir n'importe quand et ainsi occuper tout le terrain.

En Europe, le cinéma américain compte en moyenne pour 80 % du marché, les films nationaux pour 15 % et les films étrangers pour 5 %. En France, il se contente de 60 % du marché, les films nationaux de 30 % et les films étrangers de 10 %. Au Canada, le cinéma américain occupe pratiquement tout le marché, si bien que celui-ci est considéré comme *domestic market* et que les recettes sont comptabilisées comme américaines plutôt qu'étrangères.

Au Québec, le cinéma américain accapare 90 % du temps d'occupation des écrans et des recettes ; il en reste 3 % pour les films nationaux et 7 % pour les films étrangers. Comble du dérisoire, Hollywood fait de l'argent ici avec les films des autres, en distribuant aussi les meilleurs films étrangers. Il prive les distributeurs locaux des plus grosses recettes et, en contrôlant toute la distribution, prive le public de son propre cinéma. Bien sûr, comme on le fait déjà pour l'automobile, le disque ou le cochon, il faudrait pratiquer des mesures protectionnistes pour le cinéma.

Mais les Américains font tout pour faire perdre au cinéma son caractère « d'exception culturelle ». Et ils crient au protectionnisme quand un pays a le courage de limiter l'invasion de leurs films. Pourtant ils pratiquent chez eux le protectionnisme qu'ils condamnent ailleurs. En effet, ils refusent de voir des films d'ailleurs (2 % de leur marché) et ils en sont fiers. Ils se contentent de piller les meilleurs films étrangers pour les américaniser (avec leurs vedettes) et surtout les uniformiser, les neutraliser.

Puisque 50 % des recettes se font à la distribution, un film doit rapporter au moins cinq fois son budget pour qu'un producteur récupère son investissement, et plus encore pour faire des profits. Les Majors ont compris l'intérêt d'augmenter le coût moyen de leurs films à $ 30 millions : d'abord ils récupèrent l'essentiel des recettes par leur réseau de distribution, et ensuite ils éliminent du même coup la concurrence. Aucun film étranger ne peut rivaliser avec un *blockbuster* qui a coûté 50 et même 100 fois plus cher que lui. N'importe quel film québécois, par exemple, coûte moins cher que la bande-annonce d'un film américain à gros budget. Un film comme *Batman* (Tim Burton, 1989) a coûté autant que vingt films d'Arcand ou de Tavernier. Cette surenchère des coûts de production engendre par ailleurs un certain type de cinéma.

Pour viser des recettes de centaines de millions de dollars, il faut nécessairement faire plaisir à n'importe qui, donc infantiliser le cinéma. « Toute propagande doit être populaire et placer son niveau spirituel dans les limites des facultés d'assimilation du plus borné parmi ceux auxquels elle doit s'adresser. Dans ces conditions, son niveau spirituel doit être situé d'autant plus bas que la masse des hommes à atteindre est plus nombreuse »… disait Adolf Hitler dans son *Mein Kampf*.

Il ne s'agit pas de dénoncer le cinéma américain mais un système qui nous impose trop de films minables, qui nous propose trop souvent un imaginaire frelaté, aussi dangereux que l'eau polluée ou le sang contaminé. Il s'agit surtout de revendiquer le droit de voir autre chose. Il faut combattre l'uniformisation du cinéma par la diversité culturelle. La communication ne consiste pas à satisfaire tout le monde mais plutôt à s'adresser à quelques-uns pour leur parler de ce qui les concerne.

D'ailleurs les plus belles découvertes viennent de films à petits ou moyens budgets. *My Left Foot, Toto le héros, Garçon d'honneur, La Leçon de piano* ou *Léolo* ressemblent à ceux qui les ont faits et s'avèrent d'autant plus originaux qu'ils sont conçus comme des œuvres artistiques. Comme disait René Prédal, « le cinéma d'auteur murmure à quelques-uns des choses importantes tandis que les grands succès de l'année hurlent leur vide dans plusieurs dizaines de salles à la fois ».

CINÉMA MODERNE

Le cinéma intériorisé

1959 - Hiroshima mon amour .... Alain Resnais
1963 - Huit et demi .... Federico Fellini
1963 - Le Silence .... Ingmar Bergman
1965 - Pierrot le Fou .... Jean-Luc Godard
1966 - Persona .... Ingmar Bergman
1976 - Cria Cuervos .... Carlos Saura
1976 - Providence .... Alain Resnais

Le cinéma dédramatisé

1960 - L'avventura .... Mich. Antonioni
1964 - Le Désert rouge .... Mich. Antonioni
1965 - L'Évangile selon saint Matthieu .... Pier Paolo Pasolini
1965 - Les Sans-Espoir .... Miklos Jancso
1971 - Psaume rouge .... Miklos Jancso
1975 - Le Voyage des comédiens .... Theo Angelopoulos
1976 - Au fil du temps .... Wim Wenders

Le cinéma abstrait

1967 - Week-end .... Jean-Luc Godard
1967 - Blow Up .... Mich. Antonioni
1968 - Théorème .... Pier Paolo Pasolini
1968 - La Voie lactée .... Luis Bunuel
1970 - W.R., les Mystères de l'organisme .... Dusan Makavejev
1972 - Le Charme discret de la bourgeoisie .... Luis Bunuel
1974 - Le Fantôme de la liberté .... Luis Bunuel

CINÉMA NATIONAL

1961 - Salvatore Giuliano .... Francesco Rosi
1962 - The Loneliness of the Long
         Distance Runner .... Tony Richardson
1964 - Le Dieu noir et le Diable blond .... Glauber Rocha
1964 - Le Chat dans le sac .... Gilles Groulx
1965 - Les Amours d'une blonde .... Milos Forman
1968 - La Pendaison .... Nagisa Oshima
1968 - Le Mandat .... Ousmane Sembène
1969 - Adalen 31 .... Bo Widerberg
1969 - La Reconstitution .... Lucian Pintilie

CINÉMA SOCIAL

Le cinéma réaliste

1966 - La Bataille d'Alger .... Gillo Pontecorvo
1968 - Scènes de chasse en Bavière .... Peter Fleischmann
1969 - Le Sang du condor .... Jorge Sanjines
1971 - La Salamandre .... Alain Tanner
1972 - Family Life .... Ken Loach
1975 - A Woman under the Influence .... John Cassavetes
1978 - Nighthawks .... R. Peck et P. Hallam

La politique-fiction

1969 - Z .... C. Costa-Gavras
1970 - Queimada .... Gillo Pontecorvo
1971 - La Classe ouvrière va au paradis .... Elio Petri
1971 - Punishment Park .... Peter Watkins
1972 - L'Affaire Mattei .... Francesco Rosi
1973 - État de siège .... C. Costa-Gavras
1975 - L'Honneur perdu de Katharina Blum ..... Volker Schlöndorff

Le cinéma distancié

1970 - Les Camisards .... René Allio
1973 - Réjeanne Padovani .... Denys Arcand
1974 - Les Ordres .... Michel Brault
1976 - Jonas qui aura 25 ans en l'an 2 000 .... Alain Tanner
1977 - Des enfants gâtés .... Bertrand Tavernier
1977 - Padre padrone .... Les frères Taviani
1979 - Mourir à tue-tête .... Anne Claire Poirier

CINÉMA NATIONAL

1971 - Le Courage du peuple .... Jorge Sanjines
1972 - L'Invitation .... Claude Goretta
1972 - La Vraie Nature de Bernadette .... Gilles Carle
1973 - L'Esprit de la ruche .... Victor Erice
1974 - Nous nous sommes tant aimés .... Ettore Scola
1975 - Sunday Too Far Away .... Ken Hannam
1976 - L'Homme de marbre .... Andrzej Wajda
1977 - Je demande la parole .... Gleb Panfilov
1978 - Le Mariage de Maria Braun .... R.W. Fassbinder

CINÉMA POSTMODERNE

Le cinéma minimaliste

1982 - Dans la ville blanche .... Alain Tanner
1984 - Le Voyage à Cythère .... Theo Angelopoulos
1984 - Paris, Texas .... Wim Wenders
1984 - Stranger than Paradise .... Jim Jarmusch
1985 - Down by Law .... Jim Jarmusch
1987 - Les Ailes du désir .... Wim Wenders
1988 - Paysage dans le brouillard .... Theo Angelopoulos

Le cinéma maniériste/médiatisé

1981 - Diva .... Jean-Jacques Beineix
1983 - Boy Meets Girl .... Léos Carax
1987 - Family Viewing .... Atom Egoyan
1988 - Le Grand Bleu .... Luc Besson
1989 - Speaking Parts .... Atom Egoyan
1991 - Europa .... Lars von Trier
1992 - Benny's Video .... Michael Haneke

Le cinéma relativiste

1986 - Le Sacrifice .... Andreï Tarkovski
1988 - Drowning by Numbers .... Peter Greenaway
1988 - Le Décalogue .... Kr. Kieslowski
1989 - Jésus de Montréal .... Denys Arcand
1993 - Trois Couleurs .... Kr. Kieslowski
1994 - Au travers des oliviers .... Abbas Kiarostami
1996 - Un instant d'innocence .... Mohsen Makhmalbaf

CINÉMA NATIONAL

1982 - La Mémoire .... Youssef Chahine
1984 - L'Histoire officielle .... Luis Puenzo
1985 - Papa est en voyage d'affaires .... Emir Kusturica
1990 - Halfaouine .... Ferid Boughedir
1991 - Le Chêne .... Lucian Pintilie
1993 - Raining Stones .... Ken Loach
1994 - Once Were Warriors .... Lee Tamahori
1995 - Lone Star .... John Sayles
1997 - Marius et Jeannette .... Robert Guédiguian

INDEX DES FILMS

262

Achevé d'imprimer
en octobre 1998 sur les presses
de AGMV Marquis